介護福祉士
歯科医師
ケアマネジャー
消防署
JN143263
看護師
医師
救急救命士
薬剤師
理学療法士など
歯科
保健所
保健師
歯科衛生士
歯科医師
獣医師
臨床検査技師
医師
歯科衛生士
歯科医師
看護師
管理栄養士
介護施設
理学療法士など
社会福祉士
介護福祉士

医療・福祉の仕事見る知るシリーズ

「在宅医療」で働く人の一日

保育社
HOIKUSHA

はじめに

「在宅医療」の仕事って、どんなもの？

病気や障がいとともに生きる患者さんの生活を医療で支えます

在宅医療とは、通院することが難しい状態の患者さんに対し、自宅などを訪問して医療を提供することです。急病に対応する臨時の往診とちがい、医師が定期的に患者さんのもとを訪れて診療を行います。入院したり通院したりせずに、自宅で療養しながら医療を受けたいと考える人の希望をかなえるのが在宅医療です。

病院での医療は、病気やケガを治すことを目的としています。一方、在宅医療は、患者さんが病気や障がいとともに幸せに生きていけるようにすることを第一に考えます。患者さんが希望する暮らしを実現するために、医師だけでなく、看護師をはじめとするさまざまな医療職が協力し、チームで患者さんやその家族を支えていくのです。医療職としての専門性をいかしつつ、患者さんの生活により深くかかわっていけることは、在宅医療の仕事の大きな魅力です。

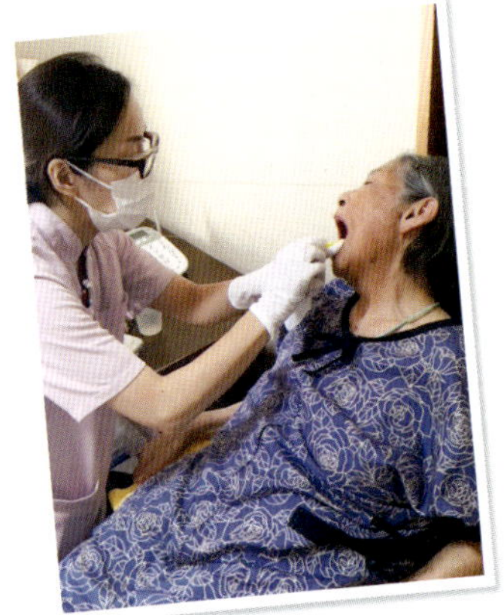

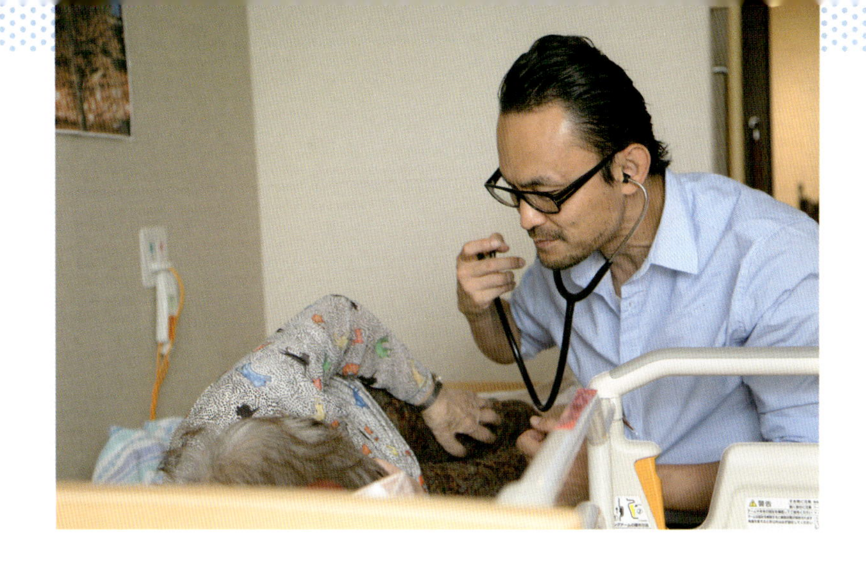

高齢化が進む日本で、さらなる発展が求められる分野

ますます高齢化が進む日本では、介護が必要な高齢者が在宅医療を必要とするケースが少なくありません。そんなとき、高齢者やその家族からの相談に乗り、支援する専門職が、ケアマネジャーです。医療職ではありませんが、在宅医療と深くかかわる仕事です。

人生の最期のときをむかえる場所として、住み慣れた自宅を希望する人は多いですが、現実には病院などの医療機関で亡くなる人が75%をしめています。こうした希望をかなえるためにも、在宅医療の充実が強く求められています。

人材不足などの問題もあり、まだまだ十分に提供されているとはいえない在宅医療。今後、さらなる発展と、多くの人の活躍が求められる分野であることはまちがいないでしょう。

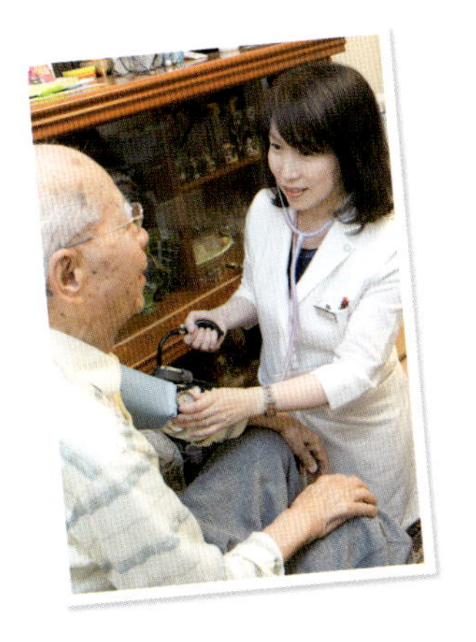

目次

インタビュー編　在宅医療にたずさわるいろいろな職種

Part 2　目指せ在宅医療の仕事！　どうやったらなれるの？

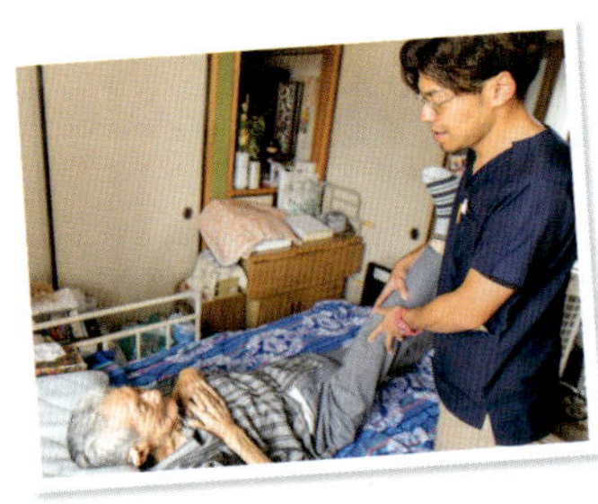

※この本の内容や情報は、制作時点（2018年8月）のものであり、今後変更が生じる可能性があります。

在宅医療にかかわる職種

在宅医療で活躍する代表的な職種は医師と看護師ですが、そのほかにも自宅で療養する患者さんをサポートするさまざまな人たちがいます。

医師

訪問診療に行って必要な処置をほどこすほか、リハビリテーション、薬、食事などさまざまなことについて、患者さん本人や他職種と相談しながら方針を決め、療養生活を支援します。

看護師

医師の訪問診療に同行して診療の補助や患者さんのケアをしたり、医師の指示を受けて訪問看護をしたりします。訪問看護ステーション（25ページ）に所属して働く看護師もいます。

患者さん

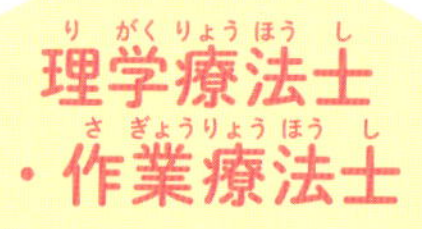

理学療法士・作業療法士

患者さんの心身の状態や、希望する生活スタイルに合わせたリハビリテーションを提案し、自宅や施設に出向いて実施します。

薬剤師

患者さんの自宅や施設を訪問して、処方された薬について説明したり、飲み方を指導したり、薬に関する相談を受けたりします。

ケアマネジャー（介護支援専門員）

介護が必要な高齢者やその家族から相談を受け、さまざまな助言をして生活を支える職種です。在宅医療が必要な場合には、医師やそのほかの医療職と連携してサポートします。

歯科医師

患者さんの自宅や施設に出向いて歯科の治療やケアを提供する「訪問歯科診療」を実施します。

自宅などで療養する

歯科衛生士

歯科医師の訪問歯科診療に同行して診療の補助を行うとともに、口腔のケア（45ページ）も行います。

管理栄養士

患者さんの食事や栄養に関する相談に乗り、在宅療養中の栄養のとり方を提案したり、食事のつくり方を指導したりします。

在宅医療って、介護とはどうちがうの？

生活活動を直接手助けする介護、医療で暮らしを支える在宅医療。望む形で療養生活を送れるようにするにはその連携が重要！

介護とは、病気や障がいなどのために、ひとりで日常生活を送ることが困難な人を援助し支えることです。食事やトイレ、入浴、着がえ、移動などを、直接手助けします。介護サービスをになっているのは、介護福祉士やホームヘルパーといった介護職です。利用者さんが入居して暮らす施設や、訪問介護サービスを提供する事業所などで働いています。

一方、在宅医療は、自宅などで療養する患者さんを定期的に訪れて医療を提供すること。医師による訪問診療だけでなく、さまざまな医療職が各自の専門性をいかして、チームで患者さんの療養生活を支援します。

大まかにいえば、生活を直接手助けするのが「介護」、医療的なケアによって支援するのが「在宅医療」ということになります。どちらも、病気や障がいをもつ人が希望する日常生活を送っていくために必要不可欠なものであり、相互の連携がとても重要です。

在宅医療や介護のサービスを上手に活用できるよう、患者さん（利用者さん）の相談を受けてアドバイスをするのは、おもにソーシャルワーカーと呼ばれる人たちです。特に、生活に支援が必要な高齢者については、ケアマネジャー（介護支援専門員）という専門の職種が相談援助を行っています。

Part 1

「在宅医療」で働く人の一日を見て！ 知ろう！

在宅医療専門のクリニックで働く医師、
訪問看護ステーションで働く看護師、
それぞれの一日に密着！

在宅医療で活躍する医師の一日

取材に協力してくれたお医者さん

佐々木 淳先生（44歳）
医療法人社団悠翔会
理事長・診療部長

Q どうして医師になったのですか？

中学生のころに『ブラック・ジャック』というマンガを読み、主人公の医師にあこがれました。同じころ、家族が脳腫瘍で倒れ、医療のおかげで元気になったのを見て医学のすばらしさを知り、医師を志しました。

Q 在宅医療は医師ならだれでもできるの？

医師免許があればだれでもできます。在宅医療の世界では、技術だけでなく人間力が求められます。患者さんの痛みや苦しみを理解し、体は治らずとも生きていてよかったと納得できるようにすることが大切です。

ある一日のスケジュール

- 9:00 出勤、ミーティング
- 9:15 診療に出発
- 9:30 午前の診療開始
- 12:30 昼休み
- 13:30 午後の診療開始
- 16:30 クリニックに到着・事務作業など
- 17:30 終業

9:00

出勤、ミーティング

在宅医療で働く医師は、どこに出勤するの?

おはようございます

あとでカルテにも目を通しておこう

昨日お電話があった○○さんですが…

いそがしいなかでもていねいな申し送りをして、患者さんの情報をしっかりと共有することが、適切なケアにつながります。

朝はクリニックに出勤。ミーティングで情報を共有します

在宅医療が専門の医師も、必ず所属する医療機関があるので、そこに出勤します。佐々木先生は、首都圏に11のクリニックをもつ医療法人(※)の代表。法人の本部と同じ場所にある都内のクリニックに出勤します。

出勤したら、まずは元気なあいさつとともに全体ミーティング。前日の当直の内容や、共有すべき情報を報告し合います。当直とは、夜間対応のことです。このクリニックは24時間365日対応なので、夜中でも患者さんや家族、施設の看護師などからの電話を受けています。待機している医師が対応し、相談の内容によっては往診もします。

その後、チームごとに分かれて申し送りをします。看護師からは訪問の予定や前日の訪問時の患者さんのようすについての話や相談があり、必要な対応についての指示を出すこともあります。

※医療法人：法人とは、法律の上で個人と同様にあつかわれる団体。医療法人は、医療機関などの開設・所有を目的とする法人。

9:15

診療に出発

？ 診療にはふつう何人で行くの？

必要なものを準備して車に積みこむのは、このクリニックではドライバーの仕事。点滴や輸液などの医療資材はコンテナに入れて台車で運びます。

後部座席に乗りこみ、訪問先へ。移動中も電話対応などがあるので、自分で運転することはあまりありません。

医師、看護師、ドライバーの3人で動くのが一般的です

このクリニックでは、ドライバーが運転する車で、医師と看護師の2人が訪問するのが一般的です。佐々木先生は、看護師のかわりに診療アシスタントをつけています。地域によっては、医師が自分で車を運転して訪問しているところもあります。

医師と看護師で行動する場合、訪問先では、診療およびカルテの記入は医師が行い、看護師は診療の補助のほか、家族のようすなどにも目を向けます（19ページ）。

このクリニックのドライバーは、診療支援部のスタッフです。その仕事は運転だけではありません。その日の診療で使う予定の道具や物品の準備、常に車に積んである医療資材のチェックも行います。物品の準備は看護師がいっしょに行うことも多く、薬剤のまちがいや期限切れがないか、足りないものはないかなど、しっかりと確認します。

訪問診療に持っていく道具

小さなバッグにコンパクトに収納。このほか、点滴や採血に必要なものを1回分ずつセットにしたものや、包帯、ガーゼといった医療資材などももっていきます。

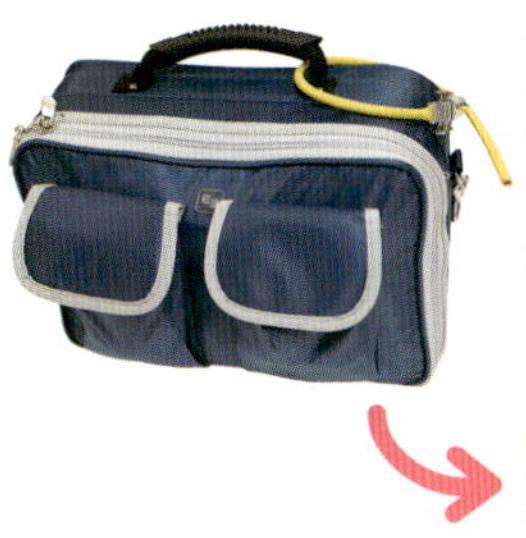

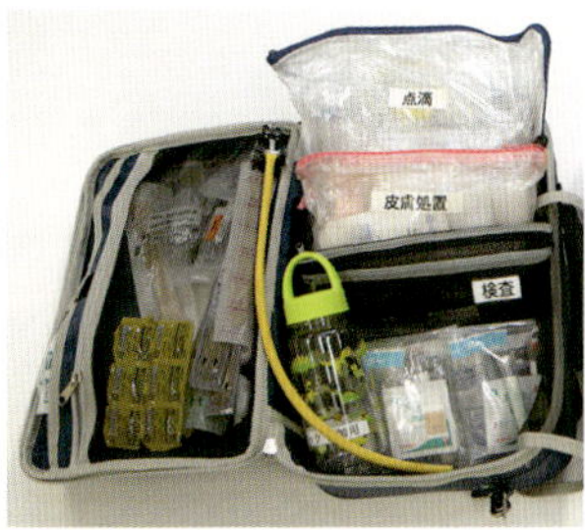

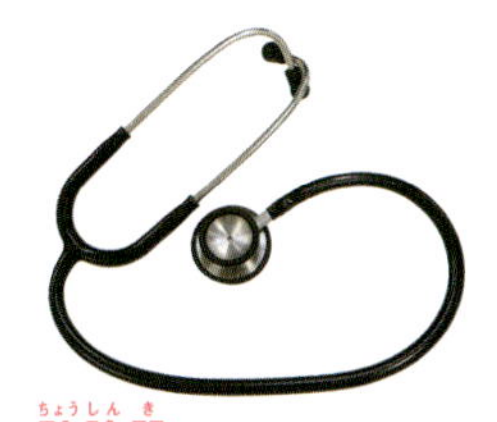

聴診器

医師の必須アイテム。自分専用のものを持ち歩いている。

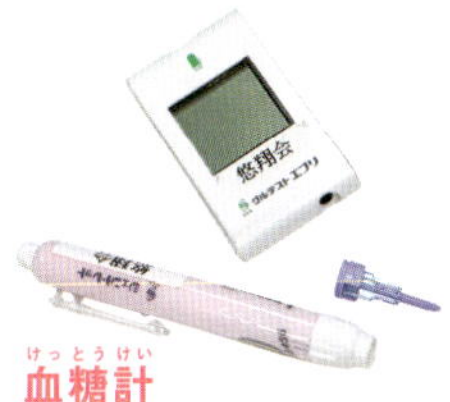

血糖計

糖尿病の人の血糖値を測定する機器。ペン型のキットに使い捨ての針を刺して血液を採取し、機械に読みこませる。

駆血帯

採血や注射をするときに患者さんの腕に巻き、血管を浮き出させるために使う。

ポケットエコー

エコー検査（超音波検査）ができる持ち運び用の医療機器。超音波を利用して体の中のようすを見ることができる。

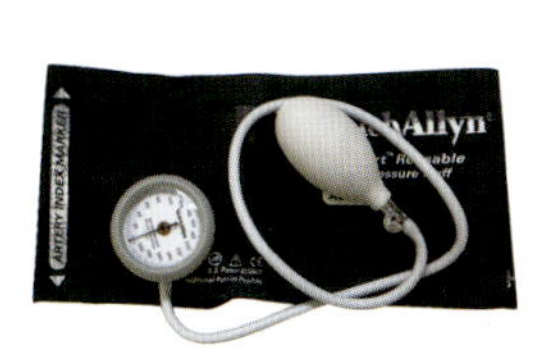

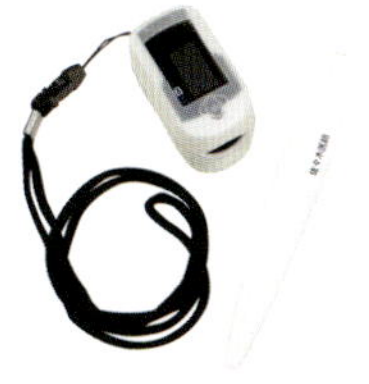

（左から）血圧計、パルスオキシメータ、体温計

患者さんの体調を把握するためのバイタルサイン（血圧、体温、脈拍数、呼吸数など）を測定する道具。

舌圧子（上）、ペンライト（下）

舌圧子は木でできた使い捨てのもの。舌を押さえてのどの奥のようすを見るときに使う。ペンライトは目や口の中を照らして見るためのもの。

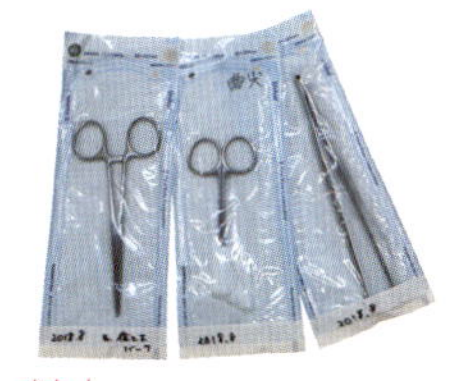

鉗子、ピンセット

傷の処置、カテーテルの処置などに使う。

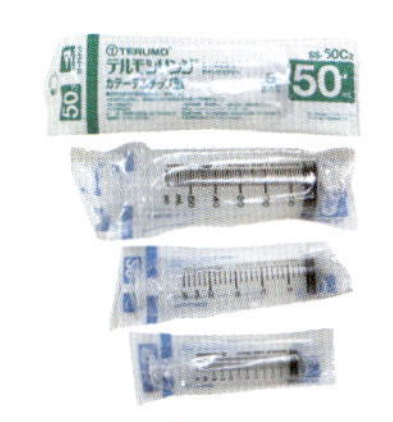

シリンジ

注射、カテーテルの処置、患部の洗浄などに使う。

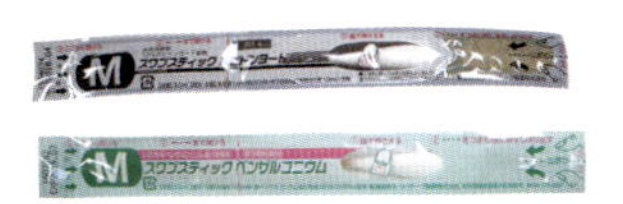

消毒剤つき綿棒

棒の先の脱脂綿に消毒剤がついている。1本ずつパック入りで、使い捨て。

9:30

午前の診療開始

?
在宅医療はどんな人が受けられるの?

血圧は問題なし。顔色もいいな
足のむくみもだいじょうぶですね

まずはバイタルサイン（15ページ）のチェックから。聴診器で胸の音を聴き、問診（患者さんの体調などを聞くこと）もします。足のむくみや皮膚の状態など、全身もしっかりと確認します。

通院が困難で、自宅療養を希望する患者さんが対象です

在宅医療は、病気を治すことよりも患者さんの生活を支えることに重きをおいた医療です。患者さんが、病気や障がいがあっても幸せに生きられるよう、支えることが在宅医療の医師の役目です。在宅医療を受ける患者さんの多くは、治らない病気や障がいをかかえています。

在宅医療の対象となるのは、通院が困難で、自宅療養を希望している人です。一人での外出が難しく、つきそいがあっても歩行をするのが困難な患者さん、認知症の患者さん、さらにはうつ病など適切な判断ができない精神疾患（心の病気）の患者さんもいます。人工呼吸器がついていて、自分ではベッドから起きられないという患者さんもいます。

患者さん全体の7割くらいが高齢者です。残りの3割は、がんや難病などで、動くことができなくなった患者さんです。

？ 患者さんを訪問する回数は決まっているの？

もう少しで
終わりますからね

月に一度、採血している患者さん。血液検査に使う針や採血管などは、「採血セット」として1回分ずつ準備しています。

この日は
都合が悪いので
変更してもらいたい
のだけど…

診療を終えたら、次回の訪問日を確認。１か月分のカレンダーに印をつけて家族にわたします。臨時で来てほしい、予定を変更したいといった相談にも応じます。

訪問診療は最大週3回、必要に応じて往診も

定期的な訪問診療は、月1回から2回で、病状に応じて増減します。不安定な状態の患者さんは、週1回のペースで訪問しています。最大で週3回まで、定期的に訪問することができます。急な発熱など、症状に変化があったときは、患者さんから連絡があれば、必要に応じて助言や往診をします。往診は患者さんの求めに応じて行くものなので、回数に制限はありません。

訪問時に採血などの検査をすることもあります。クリニックにもどってから外部に検査を依頼し、翌日の朝には結果が出ます。結果によってはすぐに対応することが必要な場合もありますが、通常は次の訪問診療のときに結果を伝えています。

移動中

問い合わせに対応

ほかの職種とはどう連携するの?

診療の合間に患者さんや家族からの相談に対応することもしばしば。「24時間365日電話で相談できる在宅医療は、とても意味のあること」と佐々木先生。

12:30

昼休み

付近の店で昼食。時間がなくて車内で食事を済ませることも多く、ときには休憩がとれないことも。

必要に応じて、介護職や ほかの医療職と個別の連絡も

自宅で療養する患者さんの生活を支えるには、訪問介護（48ページ）も必要です。医療職と介護職が連携し、患者さんの生活を支えます。そのとりまとめをしているケアマネジャーを通して、介護職につないでもらうことはひんぱんにあります。

訪問診療をして、患者さんの体調に注意が必要なときに訪問予定の看護師に連絡したり、薬を変更したときに理由を薬剤師に連絡したりすることもよくあります。連絡には、電話やファックス、パソコンを使った情報共有システムを利用します。

クリニックに患者さんから体調についての相談が入った場合などは、移動中に電話で対応することもあり、必要なら往診もします。自宅で安心して生活することがだいじですから、医療的に必要かどうかよりも患者さんの気持ちを最優先にします。

訪問診療には看護師も同行

看護師は、医師の心強いアシスタント。「生活を支える」という視点から、訪問診療をフォローします

医師は、病気を治すための訓練をたくさん受けています。ですから無意識のうちに病気にばかり目がいってしまうものです。しかし、在宅医療の医師が本当に目を向けなければならないのは、患者さんの生活や人生です。これは、じつは看護師がもっとも専門としている部分なのです。看護師の仕事は、「療養上の世話」と法律でも決められています。

看護師だからこその「生活を支える」という視点が、在宅医療ではとても重要です。看護師が同行することで、医師が見落としてしまいがちな部分をうめることができるのではないかという考えから、このクリニックでは原則として訪問診療に看護師が同行しています。

看護師は診察のときに医師に意見を伝えたり、不安そうな家族に寄りそって話を聞いたりして、看護師の視点からフォローします。また、医師がカルテを書いている間に関係者に電話をするなど、連絡窓口としての役割も果たしています。関係者との連絡は、看護師が窓口になるからこそスムーズにいくことも多くあります。

看護師は診療のアシスタントであると同時に、患者さんの生活に寄りそったケアを行うことができる専門職として、訪問診療にも欠かせない存在です。

訪問診療に看護師が同行することで、在宅医療でもっとも大切にするべき患者さんの生活に、しっかりと目を向けて対応することができます。

写真出典：『医療と介護Next』2017年4号（メディカ出版）／撮影：原恵美子

13:30 午後の診療開始

在宅医療ではできない治療ってあるの?

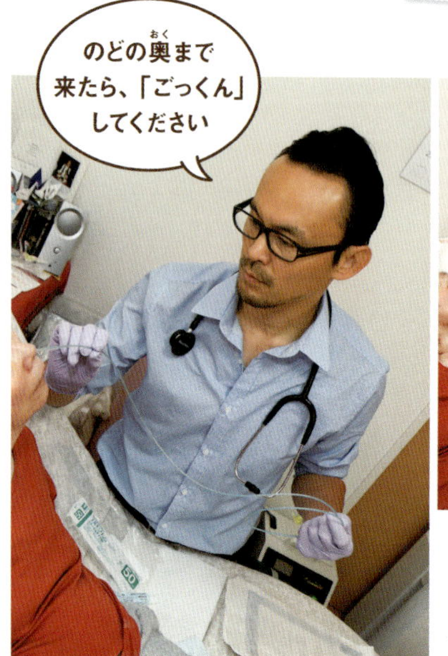

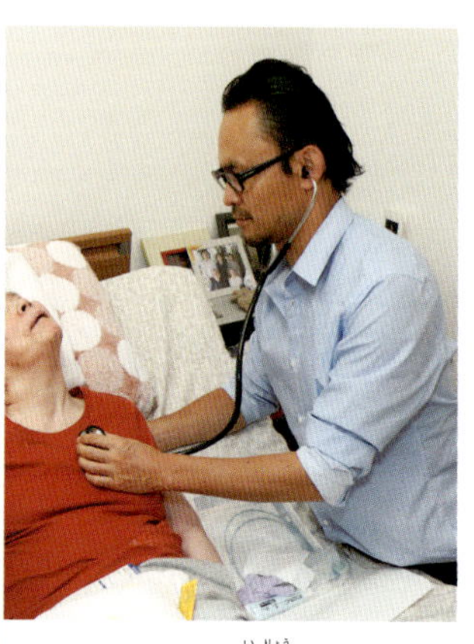

自宅でほとんどの医療処置は可能です。この患者さんは、鼻から管を入れて胃に直接栄養剤を注入する「経鼻栄養」をしています。この日は鼻に入れている管を交換。

患者さんの希望に極力対応。できないことはほぼありません

大がかりな医療機器を使う検査は、病院でなければできないため、必要なときは病院の先生に手紙を書いて予約をとり、患者さんに病院に行って検査を受けてもらいます。

それ以外の処置は、ほとんどが自宅で行うことができます。例えば、点滴で24時間栄養を入れ続ける、気管に穴をあけて人工呼吸器を入れて呼吸を管理する、病気のためにおなかにたまってしまった水を抜くといった処置から、がんの治療、輸血にいたるまで、自宅ですべて行うことができます。

大切なのは、自宅でどこまでできるかではなく、患者さんが自宅で生活するために、どこまでの医療処置が必要かということです。患者さん本人と家族が、自宅で過ごすことを希望している限り、在宅医療の医師は、それを実現するために、知恵をしぼっているのです。

患者さんの自宅以外の場所にも診療に行くの？

最近暑いですね。水分はちゃんととってますか？

最初にバイタルサインをチェックして話を聞くのは施設でも同じ。大勢の利用者さんを一度に診察する場合は、手ぎわのよさも求められます。

転んでぶつけたところは、痛くないですか？

施設には看護師が常勤している場合が多いので、前回の訪問から今までの間で、気になる変化があれば報告してもらうようにしています。

患者さんの生活の場であれば どこへでも行きます

人生の最期の瞬間まで、患者さんが幸せに生活することを支えるのが、在宅医療の医師の仕事です。患者さんの生活の場であれば、どこへでも支援に行きます。

はじめは自宅療養をしていた人が、途中から老人ホームなどに住みかえることは多く、自宅を訪問して診ていた患者さんから、「老人ホームに入るので、ホームに通って診てください」と頼まれることもあります。

ただ、施設の場合は、患者さん個人からの依頼よりも、施設からの依頼で訪問診療に出向くことがほとんどです。また、特別養護老人ホームのように、在宅医療ではなく、嘱託医という立場で診療をすることもあります。遠方から施設に入所したため、住む場所がかわってかかりつけ医に診てもらえなくなった患者さんを定期的に診療することもあります。

16:30 クリニックに到着

仕事は時間どおりに終わるの?

書類作成や簡単な連絡は、移動中の車の中でほとんど済ませます。クリニックにもどってからは、終わらなかった分の書類を作成したり、こみ入った連絡や相談をしたりすることも。

17:30 終業

おつかれさまでした!

定時で仕事を終えられるようにくふうしています

仕事はほとんどの場合、時間どおりに終わります。16時半ごろには訪問診療を終えてクリニックにもどります。予定を組む段階で、訪問計画に多少余力をもたせてあるのです。

とはいえ、もどってきてからも緊急で往診の依頼が入ることもありますし、臨時でカンファレンス(※)が入ることもあります。クリニックにもどってから、急な仕事が入ったとしても、18時にはすべての仕事を終わらせることができるようにくふうしています。

また、医師には意外なほど作成すべき書類が多いのですが、電子カルテによって、書類づくりを簡単にこなせるように環境を整えてあります。在宅医療はチームで行っていますから、通常医師が病院でやっているような事務的な仕事などは、看護師や診療アシスタントなどと、みんなで手分けしてやるようにしています。

※カンファレンス：治療方針を検討するための会議。

もっと! 教えて! 在宅医療の仕事

Q 在宅医療の仕事をしようと思った理由を教えて!

A 在宅医療の世界を知ったのは、アルバイトでこの仕事をしたことがきっかけです。私たちは生き物である限り、いつか必ず弱って死んでいく運命にあるので、医師はいつまでも病気を治し続けることはできません。死ぬまでハッピーでいるためには、病気や障がいと共存しながら、前向きに生きられる世の中をつくらなければならない。在宅医療は、病気や障がいとともに生きる人を支えられる医療だと思い、自分で始めることにしました。

Q 在宅医療の仕事のおもしろいところややりがいを教えて!

A 在宅医療を利用する患者さんの多くは、病気や障がいが治りません。だからこそ、病気はあるけれど、何ができるか考えるのです。残りの人生を長く生きることよりも、どれだけ楽しめるか、残された時間の価値をどれほど大きくできるかを常に考えています。私たち医師は、そんな患者さんの思いをどこまで実現できるか、いつも知恵をしぼっています。とてもクリエイティブな仕事で、そこにおもしろさややりがいを感じます。

Q 在宅医療で働く医師にとって、だいじなことは?

A 医療をおしつけないことです。ドクターストップで「できません」と言うのではなく、できることは何かを患者さんといっしょに考える姿勢が必要です。病気は治らないかもしれないけれど、患者さんをハッピーにすることが治療の目的ですから、そのためには、医師自身も自分や家族を大切にし、幸せでなければなりません。在宅医療は一人でやるには限界がありますから、チームのみんなに助けてもらいながら仕事をするという意識も大切です。

訪問看護にたずさわる看護師の一日

取材に協力してくれた
看護師さん

秋山 真実さん（27歳）
かのん訪問看護ステーション
看護師

Q どうして看護師になったのですか？

小学校5年生のときに、肺炎で入院したことがありました。そのときにお世話になった女性のお医者さんと看護師さんに本当によくしてもらい、たくさん話をして、医療の世界に興味をもったのがきっかけです。

Q 訪問看護に特別な資格は必要？

看護師資格があれば、だれでも訪問看護の仕事ができます。新人でも、最初は先輩看護師がいっしょに訪問して教えてくれます。きちんとした教育があるので、初めての人でもだいじょうぶです。

ある一日のスケジュール

9:00 出勤、ミーティング
▼
9:40 ステーションを出発
▼
10:00 午前の訪問看護開始
▼
12:30 昼休み
▼
14:00 午後の訪問看護開始
▼
17:00 ステーションに到着・事務作業、連絡など
▼
18:00 終業

出勤、ミーティング

? 訪問看護ステーションって、どんなところ?

おはようございます

○○さんのことを報告しよう
昨日訪問した患者さんで、気になる方はいますか?
所長

出勤して着がえたら、訪問前に必ずステーション内でミーティングを行います。患者さんの状態についての申し送り、入退院についてなどの情報の共有と確認をします。

患者さんが住み慣れた自宅で療養できるよう看護を提供

訪問看護ステーションは、訪問看護事業所とも呼ばれ、患者さんが住み慣れた自宅で安心して療養生活が送れるように、看護師が主治医や関係機関と連携をとりながら、適切な訪問看護ケアを行うことを目的とした事業所です。

訪問看護ステーションには、看護師や准看護師（55ページ）、保健師のほか、理学療法士や作業療法士といったリハビリテーション専門職、さらにはケアマネジャーなどが勤務していることもあります。

訪問看護ステーションのサービスは、通院が難しい状態で、在宅での訪問看護を必要としている患者さんなら、老若男女問わずだれでも利用することができます。ただし、医療保険や介護保険といった公的な補助を受けて利用する場合には、医師の訪問看護指示書という書類が必要になります。

9:40 ステーションを出発

1軒目の□□さん、調子はどうかな？

訪問看護に行くときの服装や持ちものは?

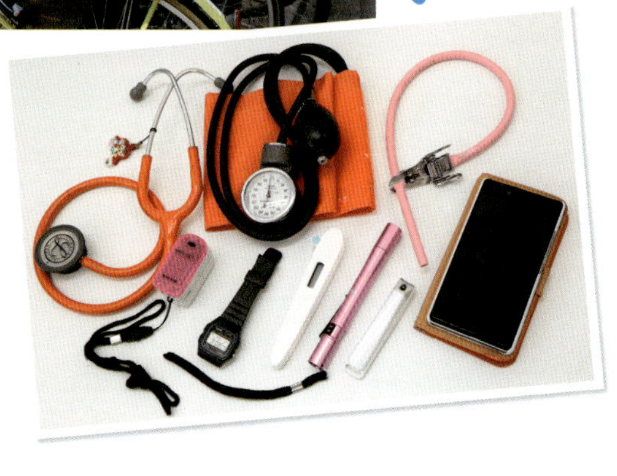

バッグの中身は、聴診器、血圧計、駆血帯、パルスオキシメータ、時計、体温計、ペンライト、つめ切り、携帯電話。筆記用具も欠かせません。

服装は病院の看護師とほぼ同じ。聴診器や血圧計などを持参

服装はナースウェアが基本。このステーションでは、自分の好きなデザインを自由に選べます。足もとは動きやすいスニーカーなどをはいています。訪問看護ステーションと自分の名前が書かれた名札を身分証明書として携帯しています。

持ちものは、すべて大きめのバッグにつめていきます。バイタルサイン（15ページ）のチェックに必要な道具の大半は、自分専用のものです。薬剤や医療資材は、基本的には持って行きません。忘れものがないか念入りにチェックしてから出発します。

移動手段は、距離や一日の訪問数によって、電動アシストつき自転車と車を使い分けています。自転車の場合、天気が悪ければレインコートを着て出かけます。雨の日のような悪天候でも、待っている患者さんがいる限り、患者さん宅に向かいます。

10:00 午前の訪問看護開始

訪問先で、最初にやることは何?

変わりはないですよ。毎日暑いけど、水分もちゃんととっているわよ
お変わりはないですか?

患者さんの趣味や楽しみにしていることなどを話題にすると会話がはずんで、いろいろなことを話してもらえます。患者さんとしてばかりでなく、人として話をすることがだいじ。

会話をしながら症状を確かめ、バイタルサインをチェック

患者さんの自宅に着いたら、まずは元気にあいさつ。話をしながら患者さんの体調などを確認します。食事や水分はとれているかどうかなどをたずねながら、必要なアドバイスや指導を行います。

そのあと、患者さん本人や家族と会話をしつつ、バイタルサインのチェックを行います。血圧、体温、脈拍数、呼吸数、血中酸素濃度などのバイタルサインは、数値自体よりも、その変化に意味があるので、訪問するたびに測定します。患者さんの基本的な体調を知るために、とても大切な仕事です。

さらに、聴診器を使って胸の音を聴きます。最近は誤嚥性肺炎(※)がとても多いので、飲みこみの状態に問題がないかをしっかりと確かめます。排便の有無、尿の色も確認。皮膚の色、むくみや傷がないかどうかなど、全身の状態をチェックします。

※誤嚥性肺炎:飲みこみの機能の問題によって、だ液や飲食物が誤って気管に入ることで、肺に細菌が入って生じる肺炎。

訪問先ではどんなことに気をつけているの？

かのん訪問看護ステーションの秋山です！

こんにちは！
○○さん、お変わりないですか？

ていねいな言葉づかい、やさしい声かけ、あいさつ、玄関では靴をそろえるなど、大人として基本的なマナーを常に心がけています。

基本的なマナーを忘れず、よい関係を築く努力をします

訪問看護では、生活の場に入っていくことになるため、病院での看護に比べると、患者さんや家族との関係がとても密です。基本的な言葉づかい、あいさつやマナーには、とても気をつけています。

人間対人間なので相性もありますが、話しにくいなと思う患者さんがいても、努力して歩み寄ることを心がけています。苦手だからと逃げるのではなく、少しでもよい関係になれるように努力することがだいじです。信頼関係を築いていくのは簡単なことではありませんが、患者さんが少しずつ心を開いてくれて、親しみをもって接してくれるようになるとうれしいものです。

また、患者さんの体だけではなく、住環境に目を配ることも忘れません。室温は体調に大きく影響するので、自宅に入ったときから、気をつけて確認するようにしています。

患者さんの家族のケアもするの？

患者さんや家族とのコミュニケーションはとても重要。会話を通してわかることも多く、適切な対応につなげることができます。何でも心を開いて話をしてくれるように、顔を合わせて話をする時間を大切にしています。

家族からの相談に耳をかたむけ、思いをくみとることもだいじ

患者さんの家庭環境は、ひとり暮らしのお年寄り、老老介護（※）の夫婦、親子二人だけで暮らす人など、本当にさまざまです。自宅での療養生活は、家族の負担が少ないとはいえませんから、患者さん本人だけでなく、いっしょに暮らす家族の心と体にも、気を配る必要があります。家族が倒れてしまっては、生活が成り立たなくなってしまうこともあるのです。

訪問看護に行った際には、患者さん自身の状態を確認することはもちろん、無理なく生活できているかどうかを、患者さん本人や家族と話をしながら確認します。ささいなことも聞きもらさぬよう、家族からの相談や悩みに耳をかたむけます。訪問時の会話からかいま見える家族の思いをくみとって、それを看護にいかしていくことも、訪問看護師にとって大切なことです。

※老老介護：高齢者が高齢者の介護をしている状態。

12:30

昼休み

お昼ごはんや休憩の時間はあるの?

○○さんのお宅で最近飼い始めたワンちゃん、かわいいんだよ!

休憩所は家のようにくつろげる空間。お昼ごはんを食べながら、仲間とわいわい話してリフレッシュ。午後の仕事への英気を養います。

休憩してリフレッシュして、午後の訪問看護にそなえます

午前中の訪問看護を終えてステーションにもどり、報告や相談を済ませたら、昼休み。訪問看護ステーション内の休憩所で、リラックスして過ごします。

タイミングが合えば、同じく訪問先から帰ってきた看護師や理学療法士といっしょにお昼ごはんを食べます。食べながら、午前中の訪問先でのできごとを話したり、担当する患者さんについての情報を交換したり、ときには悩みを相談することも。休憩時間は、大切な情報交換の場にもなっています。もちろん、仕事とはまったく関係ない話で盛り上がることも。しっかり気分転換して、午後の訪問看護に備えるのも仕事のうちです。

昼休みは通常1時間ですが、スケジュールがつまっている場合は、昼食をさっと済ませて、すぐに午後の訪問先に向かうこともよくあります。

COLUMN

男性看護師も活躍中！

**女性が多いイメージのある看護師ですが、男性も増加中！
訪問看護の世界でも、男性看護師の活躍が期待されています**

最近、各医療機関で、男性看護師の数が増えているのを知っていますか？ 厚生労働省の調査によれば、2016年には、男性看護師の数は8万4000人を超え、10年前の調査からは2倍以上に増えています。男性看護師は、看護師全体の13%以上にまで達しました。もちろん、まだまだ多いとはいえませんが、これまで女性ばかりだった看護師の世界に、新しい風をふかせてくれるのではないかと期待されています。

患者さんのなかには、例えば「息子を育ててきたから男性のほうが接しやすい」などの理由から、男性看護師に看護してほしいと希望する人もいます。特に、患者さんの生活に密接にかかわる訪問看護の仕事では、そういった患者さんの個人的な思いに応じることが意味をもつ場合もあります。患者さんの選択肢が広がるという意味でも、男性看護師が増えるのはよいことです。

訪問看護の現場では、看護師がリーダーシップをとって業務にあたる場面が多くあります。また、訪問看護ステーションの代表は看護師が務めていることも多いので、看護師として独立して働きたいと考える人にとってはとても魅力的な業界です。これから、男性看護師の活躍がますます増えていくことでしょう。

この訪問看護ステーションに所属する男性看護師は3人。患者さんの信頼を得て大いに活躍しています。ほかに男性スタッフは、理学療法士が2人働いています。

14:00

午後の訪問看護開始

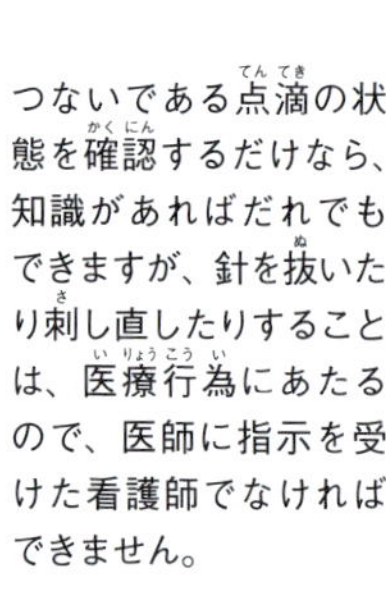

? 看護師でないとできないケアってある？

つないである点滴の状態を確認するだけなら、知識があればだれでもできますが、針を抜いたり刺し直したりすることは、医療行為にあたるので、医師に指示を受けた看護師でなければできません。

点滴や注射などの医療行為は医師の指示のもと看護師が実施

医療行為にあたるケアは、看護師が必ず医師の指示のもとに行います。患者さんの症状によって、実施するケアの内容はさまざまです。注射や点滴を行うこともありますし、便秘で排便ができない患者さんに浣腸をすることもありますが、すべて医師の指示によるものです。

訪問先で、熱が高い、脈拍が速いなど、患者さんの状態がいつもとちがう場合もあります。そんなときは、全身のチェックをして情報収集をしたうえで、医師に報告、相談。そして、医師の指示に従って処置をします。

看護師は、いかなる場合でも自分で判断して医療行為を行うことはできないため、緊急のときでも、まずは医師への報告が第一。指示を受けてから適切な処置を行います。場合によっては必要な薬剤や医療資材を病院にとりに行くこともあります。

訪問看護師は介護やリハビリもするの？

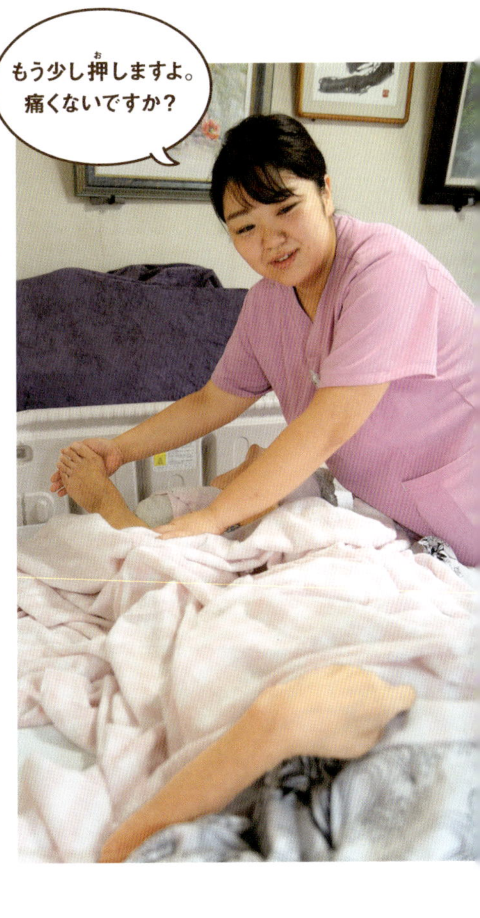

もう少し押しますよ。
痛くないですか？

寝たきりで関節がかたく動かしづらくなっている患者さんには、マッサージをすることもあります。

患者さんの家族からの質問や相談には、常にていねいに対応。希望に応じたケアを提供できるよう努めます。

患者さんの療養のために必要なあらゆるケアを提供します

看護師は、患者さんの療養のために必要であれば、介護にあたるケアをすることもあります。例えば、入浴介助は通常ホームヘルパー（患者さんの介護を手伝う人）や入浴専門業者が行いますが、病状に不安があり、何か起こったときのために、看護師に入浴介助をしてほしいという患者さんもいます。

また、患者さんの状態によっては、医師の指示のもと、軽いリハビリを行うこともあります。このステーションには理学療法士が所属しているので、リハビリについて相談したりアドバイスをもらったりできます。

そのほかにも、かたくなった関節のマッサージや、飲みこみの機能訓練など、じつにさまざまなことを行います。日常的に行ったほうが効果的なケアや訓練については、家族にやり方を伝えて、看護師の訪問がないときにもできるように指導します。

ある日の仕事

サービス担当者会議

サービス担当者会議って何？
看護師は何をするの？

患者さんの自宅で、患者さんを囲みながらのサービス担当者会議。会議といってもかた苦しい雰囲気ではありません。よりよいケアを目指して、チームが一つになるときです。

よりよいケアを目指し、患者さんを囲んで関係者が集合

サービス担当者会議は、患者さんの自宅で、患者さん本人と家族、ケアマネジャー、訪問看護師、医師、理学療法士、ホームヘルパー、訪問入浴業者など、その患者さんのケアにかかわるすべての関係者が参加して行われる会議です。ケアプランの作成、変更のときや、介護保険の更新の時期、新しいサービスが入るときなどに開かれます。本人や家族の意見を大切にしながら、希望を聞いて適切なプランを考える場で、ケアマネジャーが全体のまとめ役を務めます。

会議の際、看護師は、訪問看護の日ごろのケア内容や患者さんの病状についてくわしく伝えます。また、医療職としてケアを行う立場から、サービス内容について意見を述べることもあります。患者さんを中心に、現在の状況を共有して、よりよいケアができるように話し合う大切な会議です。

ステーションに到着

記録や報告はどんなふうにするの?

だれが読んでもわかるように…

息子さんからの相談内容も忘れずに書こう

訪問看護の合間にとったメモをもとに、パソコンで情報を入力。訪問看護記録は、求めがあれば患者さんや家族に公開することもあるもの。もれなくしっかりと記入します。

システムへの入力や、手書きの記録で情報を共有します

訪問看護の件数は一日に6～7件。一つの訪問先につき30分から1時間程度の滞在時間です。利用状況は患者さんの状態によってちがい、週1日の人もいれば、週3日利用している人もいます。

訪問看護の仕事が終わったあとは、報告や記録の業務が待っています。まずは情報共有システムに、患者さんの病状や状態、ケア内容などの情報を入力。医療関係者、ケアマネジャーなどと共有します。そのあと、ステーション内で決められた訪問看護記録に記入。バイタルチェックの結果、病気やケガの経過報告、症状の申し送り、看護で気がついたことなど、細かく報告します。さらに訪問看護ステーションの責任者への報告もします。訪問先で起きたこと、感じたことなどもふくめ、くわしく報告をしたら、すべての業務が終了です。

18:00

終業

その日待機の業務にあたる看護師には、訪問した患者さんの最新の情報を直接伝えます。あらかじめ情報を共有できていれば、緊急の電話が入ったときもあわてずに対応することができるのです。

おつかれさまでした！

病院みたいに夜勤があるの？

24時間365日対応するため、交代で「待機」の業務にあたります

何軒もの家を訪問するうちに、一日はあっという間に終わってしまいます。日々の業務は大変ですが、残業はほとんどなく、土日祝日は基本的にお休みです。

ただし、この訪問看護ステーションは24時間365日患者さんに対応するので、「待機」と呼ばれる電話当番の仕事があります。看護師が交代でこの業務あたり、休日でも夜中でも、電話で相談を受けます。話を聞くだけで落ち着く患者さんもいますが、体の状態は実際に確認しないとわからないことも多く、そんなときは患者さんの自宅に出向いて対応します。これは、病院でいう夜勤にあたる業務といえるかもしれません。

毎日いそがしいものの、とても充実している訪問看護の仕事。本で勉強したり、先輩看護師からアドバイスをもらったりして、よりよい看護のために努力する日々です。

教えて！ 在宅医療の仕事

Q 在宅医療の仕事をしようと思った理由を教えて！

A この仕事を選んだきっかけは、病院で働いていたときに研修で訪問看護の仕事を知り、実際にこの世界を見たからです。たまたま自分の担当した患者さんの退院後の姿を見る機会があり、とてもよい表情をしていたことにおどろかされました。病院で過ごしているときと、顔つきがまったくちがうのです。在宅医療では、病院に比べて一人の患者さんとかかわる時間が長く、さらに患者さんの心身のケアだけでなく、家族もふくめて密に接することができることも魅力的だと感じ、今の職場に転職しました。

Q 在宅医療の仕事のおもしろいところややりがいを教えて！

A やりがいは、日々の仕事でいつも感じています。患者さんが一日を無事に過ごせたことを見届けられたときや、熱が出ていることを訪問の最中に発見し、しっかりと対応して患者さんが大事に至らなかったときなどは、本当にうれしく、喜びを感じます。他職種と連携して、チームで一人の患者さんにかかわることも、とてもおもしろいところです。訪問看護自体は単独で行うことがほとんどですが、常に後ろにチームの存在があるので、安心感をもって仕事に集中することができます。

INTERVIEW 1

訪問薬剤管理指導を行う薬剤師

小川 亮子さん
十二所薬局
管理薬剤師

Q 薬剤師って、在宅医療ではどんな仕事をするの?

薬局から患者さんの自宅などに出向き、薬の説明や飲み方の指導をする「訪問薬剤管理指導」を行います。薬を続けている患者さんについては、薬の効果や副作用もチェック。うまく服薬できていない場合には、その理由を検討し、飲みやすくなるように対策を考えます。すべての情報は医師に伝え、薬の処方に反映してもらいます。

Q 在宅医療の仕事のおもしろさややりがいは?

医師、看護師、介護職などさまざまな職種の人たちと、患者さんを中心に、病気に対してどうすればよいか話し合い、協力して仕事をすることにおもしろさを感じます。薬局とはちがって、患者さんの生活環境を実際に見ながら、薬が適切かどうかなどを考え、提案することができます。その結果、患者さんの状態改善を目にすることができ、とてもやりがいを感じます。

ある一日のスケジュール

8:10	出勤、開局準備
9:00	患者さん来局
12:00	昼休み
13:00	施設訪問 ・カンファレンス ・回診同行 ・服薬指導など
15:00	自宅訪問 ・服薬指導 ・体調チェックなど
16:30	MSやMRに対応※
18:00	閉局、終業

※MS:医薬品卸売会社の営業担当者(マーケティング・スペシャリスト)
※MR:製薬会社の営業担当者(メディカル・リプレゼンタティブ)

血圧に影響する薬、飲んでいたかな？
○○さんは、土曜日から血圧が高くなっています

訪問診療前の合同カンファレンスにも参加します。医師、看護師、介護職とともに、患者さんの状態について確認します。

介護施設を訪問して、服薬指導をすることもあります。施設の看護師や介護スタッフとも協力して、飲み忘れや飲みまちがいのないようにします。

これが今回処方されたお薬です

この薬が余っているようですね。飲み忘れてしまいますか？

患者さん本人だけでなく家族にも同席してもらい、服用状況を確認。薬の管理の仕方を指導したり、服薬回数や薬の形状を検討したりして、きちんと飲んでもらえるようにくふうします。

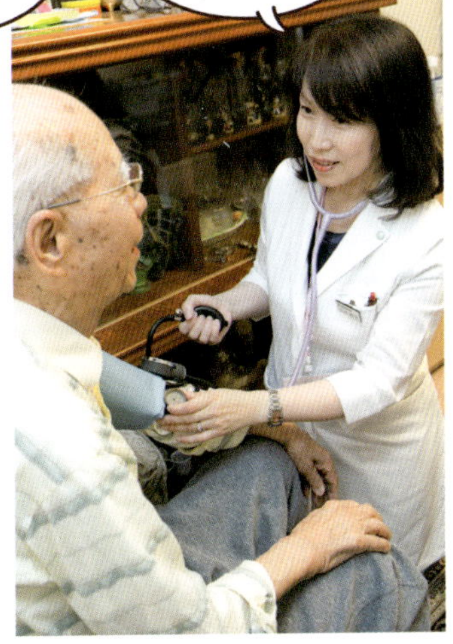

降圧薬が効いているかどうか確認しますね

血圧を測りながら、顔色やしゃべり方などもチェック。薬がきちんと効いているか、副作用は出ていないか確かめます。

INTERVIEW 2

訪問リハビリテーションを行う理学療法士(りがくりょうほうし)

糟谷(かすや) 明範(あきのり)さん
LIC訪問看護リハビリステーション
理学療法士(りがくりょうほうし)

Q 訪問リハビリテーションってどんなことをするの?

医師の指示のもと、利用者さんが暮らす自宅を訪(おとず)れ、リハビリテーションを行います。利用者さんの思いえがく生活や、やりたくてもできないことを目指すことがリハビリテーションの目的です。体の状態に合わせたさまざまなトレーニングや生活動作の練習などを行うほか、室内の段差や車いすといった環境(かんきょう)を整える支援(しえん)もします。

Q 在宅医療(いりょう)の仕事のおもしろさややりがいは?

訪問先の玄関(げんかん)を開けると、そこには利用者さんがこれまで歩んできた人生、その家の歴史や文化などを感じられるヒントがたくさんあります。こうした手がかりから、利用者さんの思いえがく生活や、やりたくてもできないことを教えてもらい、いっしょに目標を立て、リハビリテーションを通してそれらを実現していくことにやりがいを感じます。

ある一日のスケジュール

8:00	出勤
8:30	朝礼
8:45	訪問へ出発
12:15	ステーションにもどる ・昼食 ・ランチミーティング 勉強会など
13:15	午後の訪問へ出発
16:30	ステーションにもどる ・一日の記録 ミーティング
17:30	終礼、終業

利用者さんの自宅周辺を散歩。家の中だけでなく、地域全体がリハビリテーションの場です。ときには、利用者さんの友だちや近所のお店の人に声をかけて協力してもらうこともあります。

きょうも
調子よさそう
だね！

一人でもできる自主トレーニングのやり方を伝え、毎回訪問時にチェックしています。楽しみながらとり組んでもらえるように、プログラムをくふうすることもだいじです。

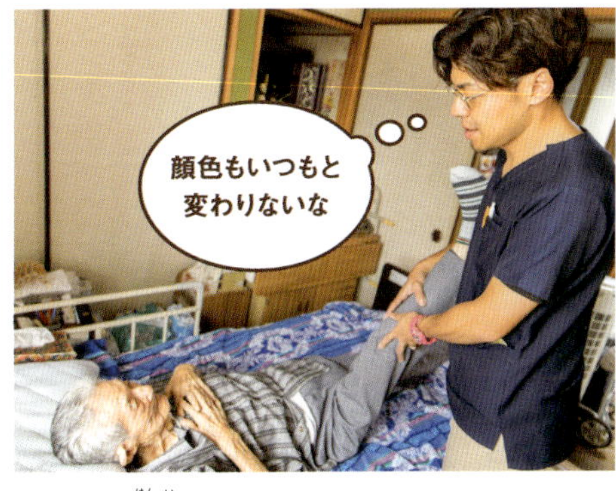

関節の動く範囲を広げる練習。体の状態に合わせたリハビリテーションを考えています。

同じステーションに所属する看護師もいっしょにミーティング。基本的に一人で訪問するので、情報交換はもちろん、緊急時に備えて連携できる体勢をとっておくこともとても大切です。

INTERVIEW 3

訪問栄養食事指導を行う管理栄養士

塩野崎 淳子さん
むらた日帰り外科手術・WOCクリニック
訪問栄養サポートセンター仙台
管理栄養士

Q 管理栄養士って、在宅医療では何をするの？

医師の指示を受けて、自宅や施設で暮らすケアが必要な人に食事のとり方や栄養についての具体的なアドバイスをする「訪問栄養食事指導」を行います。在宅医療を受けている患者さんやその家族に、それぞれの病気や障がいに合わせた食事療法を提案し、おだやかに暮らせるようサポートしています。

Q 在宅医療の仕事のおもしろさややりがいは？

例えば、おしりの骨が見えるほどのひどい床ずれ（寝たきりなどによって生じるただれや傷）ができて栄養状態も悪化していた人に、食生活のアドバイスを行い、医師、看護師、薬剤師、介護職と協力してケアにあたり、皮膚がきれいに治ったのを見たときなどにやりがいを感じます。栄養指導だけでなく、チームで力を合わせるところにも、在宅医療のおもしろさがあります。

ある一日のスケジュール

9:00	出勤 ・患者さんの情報を確認
11:00	訪問へ出発
12:30	クリニックにもどる ・記録 ・昼食
14:00	午後の訪問へ出発
16:00	クリニックにもどる ・記録 ・他職種への報告 ・事務作業
17:00	終業

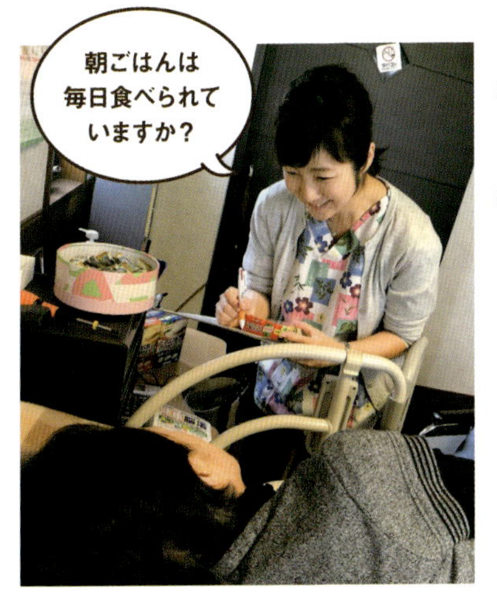

どんな食べ物を、どれくらいの量、どんなふうに食べているのか、具体的な食生活の内容をききとります。必要な栄養量を満たしているのかどうか確認するのが栄養指導の第一歩です。

重曹を
ゆで汁に入れると
やわらかくなるん
ですよ

患者さんの自宅キッチンで、調理指導も行います。かむ、飲みこむなど、食べる機能に障がいがある人の場合は、食べやすい介護食のつくり方などを指導します。

食事もしっかり
とれているみたいだし、
経過は良好だね

医師、看護師、管理栄養士、薬剤師などが参加する「床ずれ対策チーム」のカンファレンス。床ずれを改善するには、できた傷を治療するだけでなく、生活環境を整えることが必要です。

末期がんの患者さんに喜ばれた「エビのチリソース」。見た目も味もふつうの料理のようですが、とけて飲みこみやすいようにムースにしました。余命がわずかになった人に対して、最期のひとさじをサポートすることも大切な仕事です。

インタビュー編
在宅医療にたずさわる
いろいろな職種

INTERVIEW 4

訪問歯科診療にたずさわる 歯科医師・歯科衛生士

若杉 葉子さん
悠翔会在宅クリニック
早稲田
歯科医師

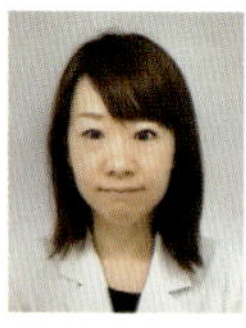

横山 いくみさん
悠翔会在宅クリニック
早稲田
歯科衛生士

Q 訪問歯科診療ってどんなことをするの？

訪問歯科診療とは、歯科医師が患者さんの自宅や施設に行って歯科治療や口腔のケア*を提供することです。歯科衛生士も同行し、歯科診療の補助や口腔のケアを担当。また、全身の状態をみて、栄養指導やリハビリ*も行います。口の健康を通じて、在宅医療を受けている患者さんの生活を支える仕事です。

Q 在宅医療の仕事のおもしろさややりがいは？

患者さんや家族との距離が近く、深くかかわることができます。口腔の機能や生活全体を見ながら治療をするなかで、患者さんの希望をできる限り引き出し、それを多職種で支えていくことは、非常にやりがいがあります。人生の最期まで、自分の口で自分の好きなものを食べられるようにサポートすることは、訪問歯科でしかできないことだと思っています。

ある一日のスケジュール

8:30	出勤 材料や器具の準備
9:00	訪問診療 ・治療 ・口腔のケアなど
10:30	次の訪問先へ
12:00	昼休み
13:00	午後の訪問診療 ・数件を訪問
17:30	クリニックにもどる ・器材の片づけ ・材料の補充
18:00	終業

訪問したら、まずはあいさつして話をききます。自宅なので、患者さんは少しリラックスして診療を受けることができます。歯科医師や歯科衛生士にとっても、実際の生活を見られるからこそいろいろなことに気づけるという利点があります。

□□さん、
こんにちは！
昨夜はよく眠れましたか？

痛むところはどのあたりですか？
入れ歯を少し調整したほうがいいな…

歯科医師は、患者さんの訴えをきいて診察。歯科医院にある診察ユニットという電動のいすはありませんが、訪問用の道具があるので、歯をけずる、型をとってつめものをつくる、歯を抜くなど、たいていの治療が可能です。

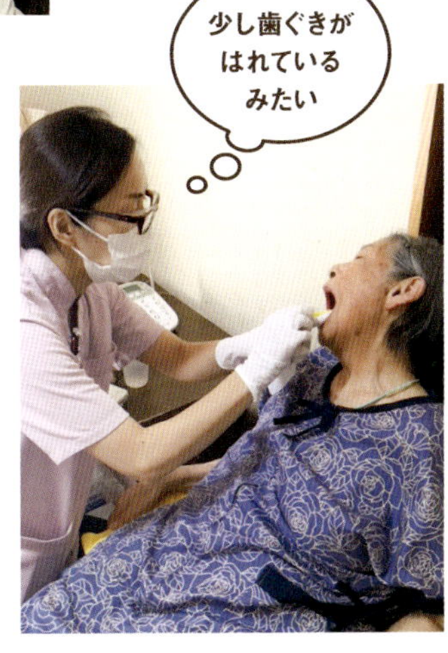

少し歯ぐきがはれているみたい

さまざまな理由で自分で歯みがきをすることが難しい患者さんも多いので、口腔のケアを希望する人は多数。おもに歯科衛生士が担当します。

チェック!!

口腔のケアやリハビリも歯科の仕事！

口には「食べること」「話すこと」という大切な機能があります。口がきちんと機能しているか、つまり食べたりしゃべったりできているかということを評価し、ケアやリハビリを行うのも歯科の大切な仕事です。口腔のケアとは、口のあらゆる働き（食べる、かむ、飲みこむ、だ液を出すなど）が健全に果たせるように、口の中の手入れをすること。高齢者に多い「誤嚥性肺炎」という病気を防ぐためにも、口腔のケアは重要です。リハビリとしては、かむ、飲みこむといった食べる機能の訓練や指導をおもに行います。

INTERVIEW 5

介護と医療をつなぐ
ケアマネジャー

鐵 宏之さん
居宅介護支援事業所 てつ福祉相談室
ケアマネジャー（介護支援専門員）

Q ケアマネジャーって、どんな仕事をするの？

ケアマネジャーは介護が必要な人（利用者さん）やその家族から相談を受け、望む暮らしをかなえるためにさまざまなアドバイスをして、生活を支える仕事です。介護サービス（48ページ）の調整はもちろん、在宅医療を利用したほうがよい状態なら、医師などの医療職と連携をはかり、適切な在宅医療を受けられるように調整します。

Q ケアマネジャーの仕事のおもしろさやりがいは？

利用者さんが希望する生活を実現するためには、介護職、医療職、地域の人たちなど、さまざまな人とつながっていくことがだいじです。求めればどんどん世界を広げることができる、おもしろい仕事です。利用者さんの生活や人生から学ばせてもらえることもたくさんあります。それぞれの人にとっての幸せを考え、それを実現する役に立てることに喜びを感じます。

ある一日のスケジュール

9:00	出勤 ・事務作業 電話連絡など
11:00	利用者さん宅訪問
12:00	昼休み
13:00	利用者さん宅訪問
14:30	入院中の利用者さんを訪問
16:00	事務所にもどる ・ケアプランの作成 事務作業など
18:00	帰宅

事務所での事務作業は、月初めの請求業務のほか、他職種との連絡、利用者さんの状況の確認、行政機関やサービスを提供する事業所とのやりとりなどです。こみ入った情報など、直接、電話で話をしたほうがよい場合もあります。

一人のケアマネジャーが担当するのは、30人くらいです。利用者さんを訪問するのは、月に1回が基本。信頼関係を築き、望む暮らしのあり方をいっしょに考えます。介護している家族のようすをしっかりと見ることもだいじです。

利用者さんが受けているあらゆるサービスの担当者が集まる「サービス担当者会議」は、ケアマネジャーが招集。利用者さんや家族を中心に、情報交換や状況の共有をしたり、希望を聞きとったりして、全員が同じ方向を向いて支援を行えるようにします。

介護サービスってどんなもの？

介護が必要な人の生活を援助するためのさまざまなサービス。介護保険制度などによって、少ない負担で利用できます

介護サービスとは、介護が必要な人の生活を援助するために提供されるさまざまなサービスのことです。サービスを利用するのが高齢者の場合は介護保険制度によって、障がい者の場合は障がい者福祉制度によって、少ない負担で利用できるしくみになっています。

介護サービスには、特別養護老人ホームのように入所して利用するもの、デイサービスやデイケアのように通って利用するものなど、さまざまな種類があります。訪問介護は、ホームヘルパーに直接自宅に来てもらって利用する介護サービスで、そうじ、洗濯、買い物、料理などを手助けしてもらう「生活援助」、食事、トイレ、入浴などを手伝ってもらう「身体介護」があります。

在宅医療を受けている患者さんの多くは、介護サービスも同時に利用していますから、医療職と介護職がおたがいに情報を共有し合い、患者さん（利用者さん）の状態を正しく把握して支援することが大切です。

例えば、訪問介護に行ったホームヘルパーが利用者さんの異変に気づいたとき、在宅医療の医師とすぐに連絡をとることができれば、必要に応じて訪問看護や往診に来てもらえます。また、医師が日ごろから患者さんの状態をケアマネジャーやホームヘルパーにこまめに伝えていれば、それをすみやかに介護に反映させることができます。

Part 2

目指せ在宅医療の仕事！どうやったらなれるの？

在宅医療の仕事をするには、どうすればいいの？

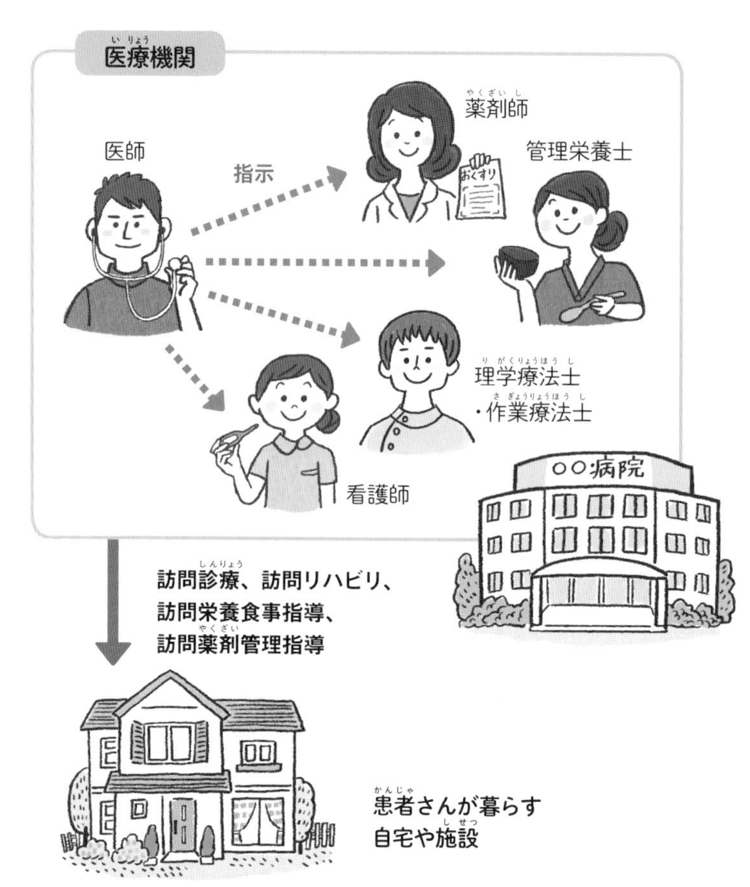

資格を取得し、在宅医療を行う医療機関に就職するのが一般的

在宅医療を提供するのは医療機関です。そこで働く医師は、自ら訪問診療を行うことになりますし、看護師はそれに同行したり、医師の指示で訪問看護に行ったりします。理学療法士や作業療法士、管理栄養士、薬剤師といった医療職は、医師の指示を受けて患者さんの自宅を訪問し、リハビリ、栄養食事指導、薬剤管理指導を行います。

ですから、在宅医療の仕事をしたい場合は、必要な資格を取得したうえで、在宅医療を実施している診療所や病院に就職するのが一般的な方法といえます。在宅医療にかかわる職種はいろいろあるので、自分の興味がある仕事は何か、考えてみましょう。

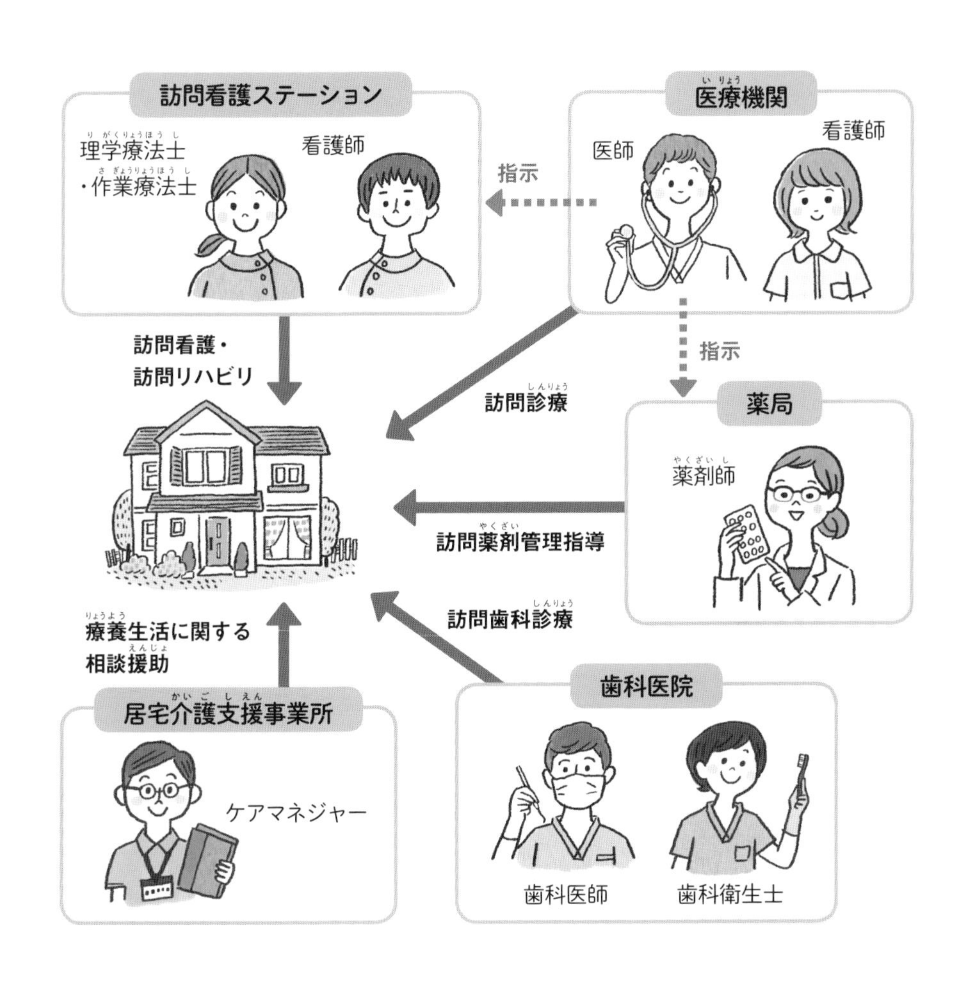

医療機関以外に就職して在宅医療にかかわることも可能

医師以外の職種は、医療機関ではないところに就職し、医師から指示を受ける形で在宅医療にかかわることもできます。例えば、看護師や理学療法士などは、訪問看護ステーションに所属して、訪問看護や訪問リハビリだけを専門に行うことができます。薬剤師は、薬局に勤務して通常の薬局の仕事と並行して訪問薬剤管理指導をする形が多いようです。管理栄養士は、所属先以外の医療機関からの依頼で訪問栄養食事指導をするケースもあります。

なお、訪問歯科診療は歯科医師の領域。歯科衛生士は歯科医師の指示で仕事をします。所属先は大半が歯科医院です。

ケアマネジャーは、居宅介護支援事業所や訪問看護ステーションに所属して、利用者さんの療養生活に関する相談援助を行う形で在宅医療にかかわります。

医師になるには?

中学校卒業 → 高等学校 → 大学の医学部（6年） → 医師国家試験 → 医師免許取得 → 初期臨床研修（卒後研修）（2年以上） → 医師

高等学校を卒業していれば、ほかの学校や社会人からの編入や入学も可能。

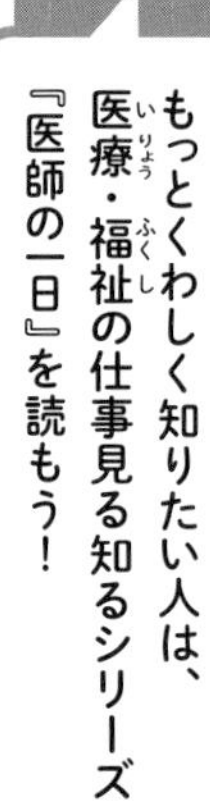

医学部に進学して6年間学び、医師国家試験を受験

大学の医学部に進学し、6年間勉強したあと、医師国家試験を受験します。国家試験に合格して医師免許を取得したあと、医療機関で働きながら研修する「初期臨床研修」を2年以上行うことが、法律で義務づけられています。初期臨床研修の間は、研修医と呼ばれる立場。指導医の指導のもとで、患者さんを診療します。初期臨床研修を修了してはじめて、正式な医師となり、自分だけで診療できるようになるのです。

医学部の学費は他学部に比べて高額。6年間の総額は、国立大学なら約３５０万円ですが、私立大学は約２０００万～５０００万円と、国立と私立で大きな差があります。

Q1 医学部では どんなことを学ぶの？

一般的な大学は４年制ですが、医学部は６年制。通常の授業のほか、実験や実習も多く、学ぶことがたくさんあります。多くの場合、本格的に医学部らしい科目が増えてくるのは２年生から。人体解剖実習も行います。

学年が進むにつれ、学習内容はより専門的になります。４年生の終わりには「共用試験」が行われ、現場での実習（臨床実習）に必要な知識や能力があるかどうかの判定を受けます。試験にパスすれば、５年生からは医療機関での臨床実習がスタート。６年生の卒業前、２月には医師国家試験が待ち受けています。

Q2 医師に向いているのは どんな人？

医師になるまでに学んだ知識だけでは、仕事は務まりません。日進月歩の医療技術を常に学び続ける姿勢と、患者さんの治療のために必要なことは何かをより深く知ろうとする探究心が大切です。

さらに、診察中の患者さんと対話したり、治療や検査でほかの医療職と連携したりするためのコミュニケーション力、必要な治療を見きわめる観察力や判断力もだいじです。

また、医師は肉体的にも心理的にもとてもハードな仕事。急な診察や長時間の治療に対応できる体力や精神力も必要になるでしょう。

Q3 収入はどのくらい？ 人数は足りているの？

医療機関に勤めている勤務医の平均年収は1488万円。非常に高収入のように感じられますが、専門的な知識と技術、命を預かる責任には見合った収入といえるかもしれません。なお、自ら診療所などを開いている開業医の年収は2670万円とさらに高額です。

全国の医療機関で必要とされている医師の数は、実際の医師の数と比べて圧倒的に不足しています。そのため、診療する患者さんの数が多くなったり、当直の回数が増えたりと、医師一人あたりの負担が重くなっています。在宅医療で活躍する医師も、まだまだ不足しています。

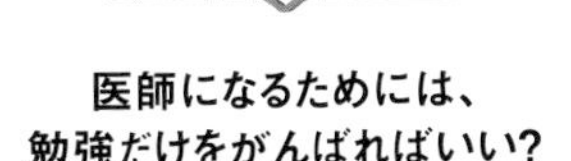

医師になるためには、勉強だけをがんばればいい？

医学部の入学試験は難関ですから、受験のための勉強はもちろん必要ですが、勉強ばかりしているのは考えものです。スポーツや趣味などに幅広く挑戦し、いろいろな人とかかわることで、協調性やコミュニケーション力をみがいておきたいですね。

また、中高生向けの医師体験セミナーなどに参加してみるのもいいでしょう。医療現場を見たり、話を聞いたりして医師の仕事を身近に感じることが、夢へのはげみになるかもしれません。

? 看護師になるには?

もっとくわしく知りたい人は、医療・福祉の仕事見る知るシリーズ『看護師の一日』を読もう!

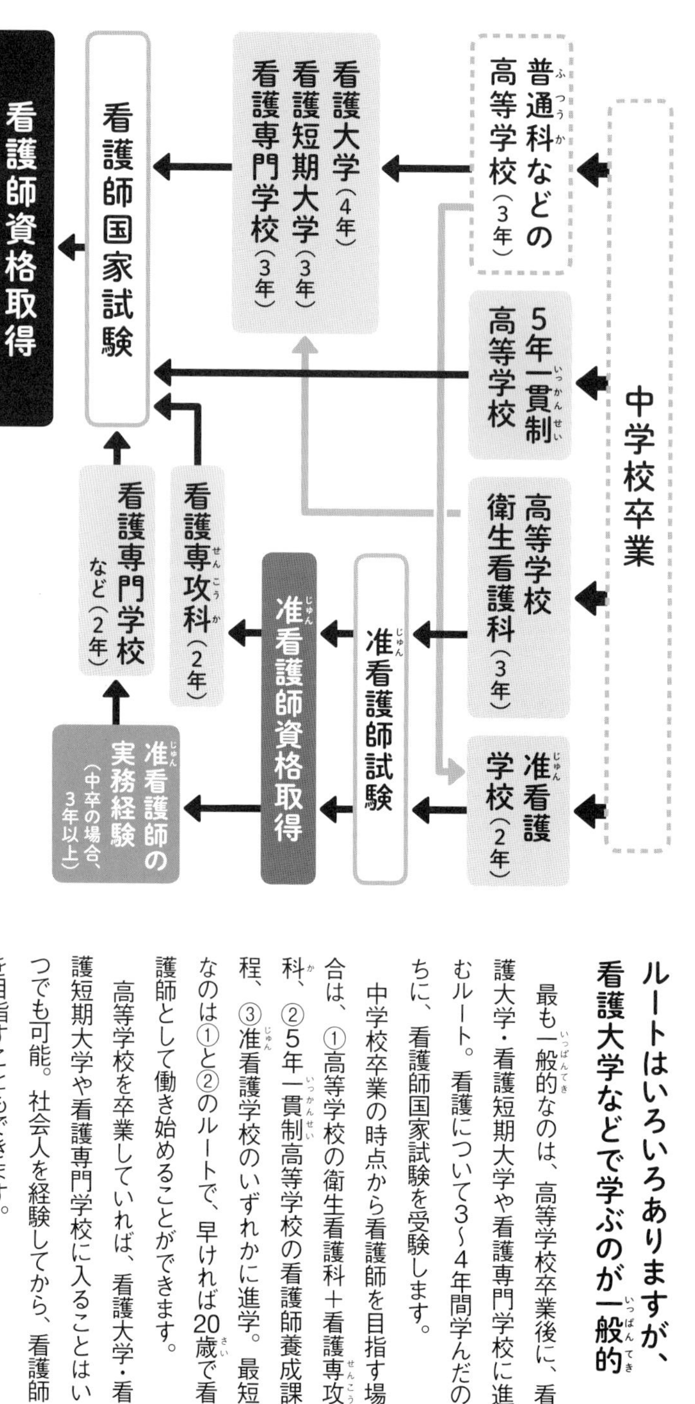

ルートはいろいろありますが、看護大学などで学ぶのが一般的

最も一般的なのは、高等学校卒業後に、看護大学・看護短期大学や看護専門学校に進むルート。看護について3～4年間学んだのちに、看護師国家試験を受験します。

中学校卒業の時点から看護師を目指す場合は、①高等学校の衛生看護科＋看護専攻科、②5年一貫制高等学校の看護師養成課程、③准看護学校のいずれかに進学。最短なのは①と②のルートで、早ければ20歳で看護師として働き始めることができます。

高等学校を卒業していれば、看護大学・看護短期大学や看護専門学校に入ることはいつでも可能。社会人を経験してから、看護師を目指すこともできます。

Q1 看護の学校ではどんなことを学ぶの？

看護師に必要な医療の基礎知識や看護技術などを学びます。看護は実践の学問といわれ、看護を学ぶには実際にやってみることがとても大切です。血圧や体温の測定、食事などの介助、注射や点滴など、さまざまな技術演習を行い、現場で求められるスキルを確実に身につけます。最終学年が近づくと、実際の医療現場での「臨地実習」がスタート。病院や施設に出向き、指導役の看護師のサポートを受けながら実際に看護を行います。

どのルートで学ぶ場合でも、看護師国家試験を受けるまでに、必要な知識や技術を身につけることができます。

Q2 看護師に向いているのはどんな人？

看護師は、医療職のなかでも患者さんにとって特に身近な存在。ケガや病気の処置だけでなく、患者さんやときにはその家族の心まで支え、ケアする職種です。人の役に立ちたいという熱意は、看護師として働くための原動力となるでしょう。

また、患者さんはもちろんのこと、医師やそのほかの医療職など、いっしょに働く人たちとも上手にコミュニケーションをとる能力が求められます。

力仕事も多く、働き方によっては夜勤がある場合もあるため、体力に自信があることも、長く働き続けるために必要な要素といえます。

Q3 収入はどのくらい？人数は足りているの？

看護師の収入は、働き方や勤務する施設によって大きくかわりますが、平均年収は、ボーナスもふくめておよそ500万円前後。比較的高い収入が約束されているのは、看護師の仕事がそれだけハードだからです。

仕事の大変さと収入が見合っていないと感じる人も多く、看護業界は深刻な人手不足の状態が続いています。今後ますます高齢化が進み、ニーズが増えると予想される介護や在宅医療の分野でも、看護師は必要不可欠な存在です。医療の知識と技術をかね備えた看護師の活躍が求められます。

准看護師ってどんな資格？

看護師と同様に、患者さんのケアや診療の補助を行う職種ですが、看護師が国家資格であるのに対し、准看護師は都道府県知事が発行する免許です。医師や看護師の指示を受けて仕事をすることと法律に定められており、自分の判断では仕事ができません。責任の大きさは看護師よりもずっと小さく、そのぶん給与も少なめです。

中学校卒業の時点から看護師を目指すルートのなかには、途中でいったん准看護師資格を取得してから看護師国家試験を受けるルートもあります。

薬剤師になるには?

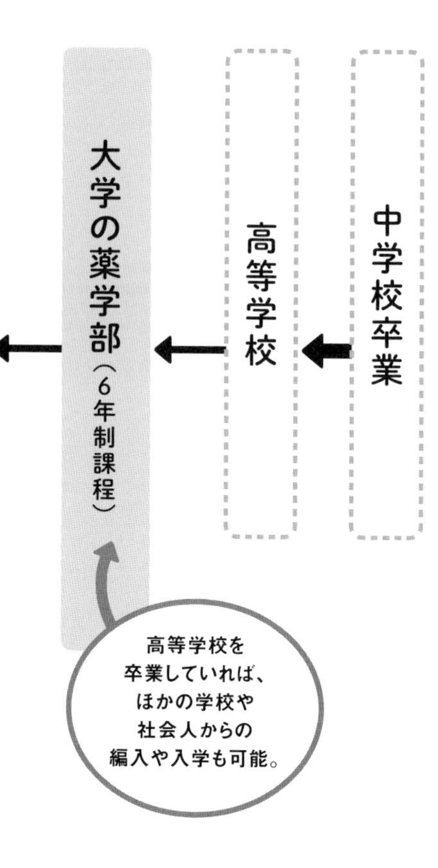

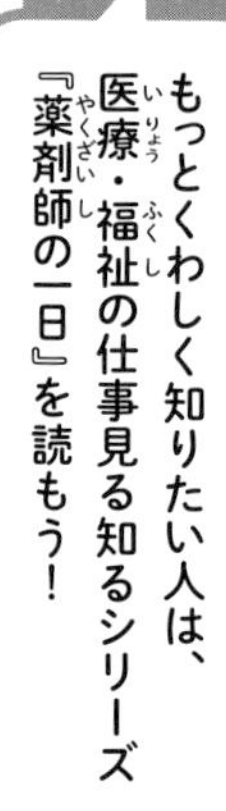

薬学部の6年制課程で学び、薬剤師国家試験を受験

薬剤師になるには、大学の薬学部に進学して、薬に関する知識や薬剤師としての基本的な能力を身につける必要があります。薬剤師になるための教育課程は、一般の大学よりも2年長く、医学部や歯学部と同じ6年制です。6年間学んだあと、薬剤師国家試験に合格すると、薬剤師資格を得ることができます。

薬学部の学費は、6年間で国立が約350万円、私立は約1000万~1500万円ほどかかります。大学によっては編入学制度や社会人入試制度を導入しているところもあり、他学部に進学したり就職したりしたのちに薬剤師を目指すことも可能です。

Q1 薬学部では どんなことを学ぶの？

6年間で、薬剤師として求められる基本的な資質（性質や能力）を身につけることを目指します。薬学部では、1年次から、物理、化学、生物の基礎や薬学入門など、薬剤師の仕事に直接つながる科目をたくさん学びます。

実習もたくさんあり、1～2年次の基礎実習では、基本的な実験を行うことで、薬のあつかい方、薬の成分や働きを科学的に調べる方法などを身につけます。学年が進むと実習の内容はより実践的に。4年次の終わりに薬学共用試験が課され、合格して初めて、5年次から病院や薬局での実務実習に出ることができます。

Q2 薬剤師に向いているのはどんな人？

薬は人体に大きな影響を与えるものです。誤った使い方をすれば、命の危険を招くことさえあります。そのため、薬剤師には正確に仕事をする集中力、ていねいさ、仕事に対する責任感が必要不可欠です。さらに、常に進化し続ける薬や医療について学び続けようとする熱意も求められます。

薬局や病院では、薬の内容や飲み方やについて患者さんに説明したり、薬に関する相談を受けたりする場面が多くあります。医師や看護師に必要な情報を的確に伝えるなど、ほかの医療職との連携においてもコミュニケーション力は必要です。

Q3 収入はどのくらい？ 人数は足りているの？

薬剤師の平均年収は550万円前後です。医療職のなかでも、収入は比較的高めの職種といえます。景気にかかわらず常に安定的に求人のある職種なので、出産などによってライフスタイルが変化した場合も、いろいろな働き方が選べる点も魅力です。薬剤師であれば、パートタイム勤務でも一般的な事務職などと比べて高い賃金が設定されていることが多くなっています。

しかし一方で、今後数年のうちに薬剤師の数が需要を上回ると予測する研究結果もあります。今後はより質の高い薬剤師が求められるようになるでしょう。

調剤は薬剤師にしかできない仕事

処方せんにもとづいて薬を準備し患者さんにわたす「調剤」の業務ができるのは、原則として薬剤師だけです。一方、治療に必要な薬の種類や量、使い方を決めて処方せんを出すことができるのは医師だけ。処方と調剤とをあえて分ける「医薬分業」によって、処方せんの内容を二重に確認してミスを防ぐ、患者さん自身が処方せんの内容を知ることができるなどの利点があります。

薬剤師は、医療におけるとても大きな役割をになっているのです。

理学療法士・作業療法士になるには？

中学校卒業

高等学校

理学療法士・作業療法士養成校
大学（4年） 短期大学（3年）
専門学校（3年または4年）など

理学療法士・作業療法士国家試験

理学療法士・作業療法士資格取得

もっとくわしく知りたい人は、医療・福祉の仕事見る知るシリーズ『理学療法士の一日』『作業療法士の一日』を読もう！

養成校で3年以上学び、国家試験を受験

理学療法士や作業療法士になるには、それぞれの養成校で知識や技術を学び、国家試験に合格する必要があります。養成校には大学、短期大学、専門学校などがあり、必要な科目を修めて卒業すると、国家試験の受験資格が得られます。国家試験に合格すれば、晴れて理学療法士・作業療法士の資格取得です。

社会に出て別の仕事を経験したあとで、理学療法士や作業療法士を目指す人もたくさんいます。自身が病気やケガをして、病院でのリハビリテーションを通して仕事を知ったというケースも多いようです。

養成校ではどんなことを学ぶの？

養成校では、専門分野だけでなく、あらゆる学びの基礎となる科学的なものの考え方や、人体の構造と働き、病気や障がいの内容とその回復、福祉やリハビリテーションのあり方といった知識も身につけます。患者さんの心に寄りそうために、心理学も学びます。

学年が上がると、理学療法または作業療法の治療学が本格的にスタート。実践に近い治療やリハビリの演習で、技術だけでなくマナーなども身につけます。臨床実習もあり、最終学年を中心に、病院や介護施設などでおよそ3か月以上の実習を行います。

向いているのはどんな人？

理学療法士や作業療法士は、リハビリテーション専門職。思うように体を動かすことができない患者さんの気持ちに寄りそって、やる気を引き出す心のもち方がとても大切です。さらに、リハビリテーションを実施するにあたっては、患者さんをとりまくさまざまな医療職と連携をとることもたいへん重要です。人とかかわることが好きな人がこの仕事に適しているといえます。

患者さんの動作をよく観察し、症状や気持ちをよく見て治療法に創意くふうができること、そしてある程度体を使う仕事ですから、心身ともに健康であることが大切です。

収入はどのくらい？人数は足りているの？

理学療法士と作業療法士の給与の平均はどちらも同程度。月給で約27万円、年収は300万～500万円くらいが相場です。ほかの医療職に比べて平均年齢が若いこともあり、やや低めの金額になっていますが、基本的に経験年数が長くなるほど給与は高くなります。

理学療法士や作業療法士の資格をもつ人の数は、大幅に増えつつありますが、高齢化が進む日本では、介護分野での需要が増加傾向にあり、これからも求められる職種といえるでしょう。在宅医療の分野においても、今後ますますの活躍が期待されます。

理学療法士と作業療法士はどうちがうの？

理学療法士と作業療法士は、共通するところの多い職種です。どちらも障がいをもつ患者さんのリハビリテーションにたずさわっていますが、障がいに対するアプローチの仕方が異なります。

理学療法士はおもに、座る、立つ、歩くなどの基本的な動作の回復を援助します。作業療法士はそれらの動作を日常生活に応用できるようにサポートする職種です。また、作業療法士は精神障がいのある人への支援にもたずさわるのが特徴です。

管理栄養士になるには?

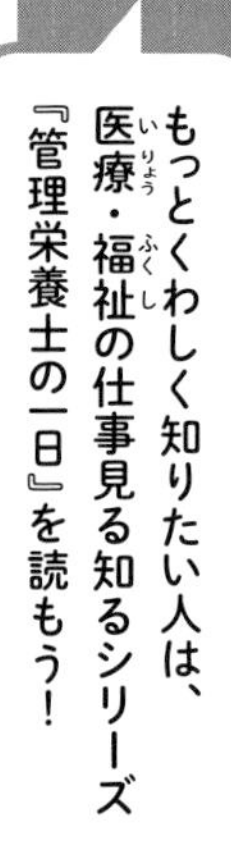

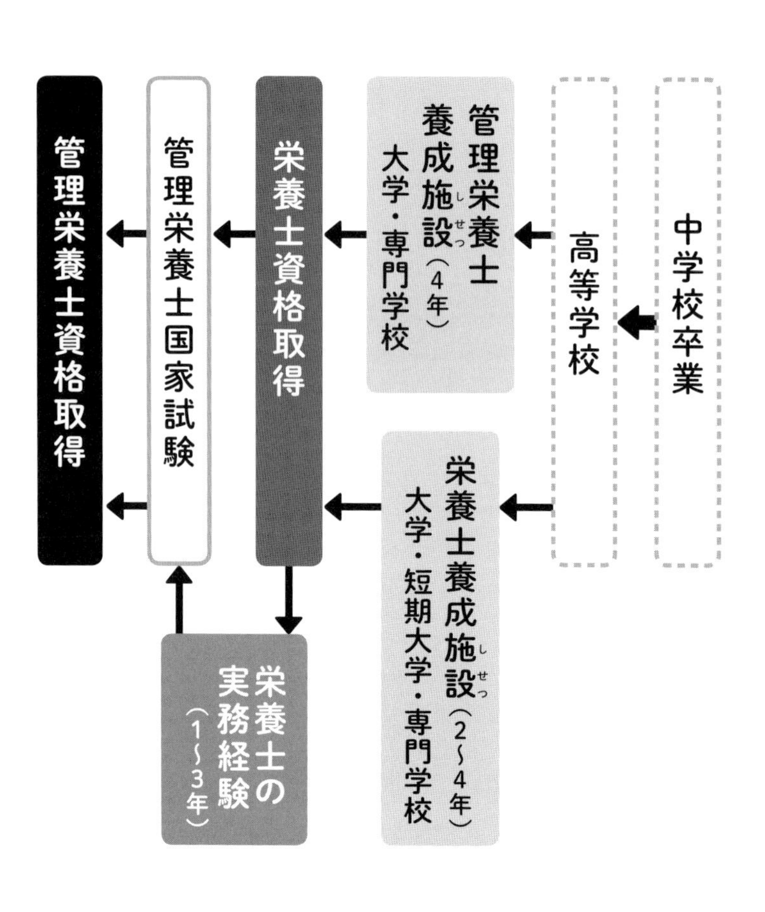

栄養士資格を取得のうえ、管理栄養士国家試験を受験

管理栄養士は、栄養士よりもさらに専門的な栄養指導などを行うための国家資格です。そのため、栄養士資格をもつ人しか、管理栄養士国家試験を受けられません。栄養士資格は、養成施設で必要な科目を修めて卒業すれば取得することができます。

管理栄養士になるためのルートは2つ。①管理栄養士養成施設で、栄養士資格取得と同時に国家試験を受験するルートと、②栄養士養成施設で学び、栄養士資格取得後、栄養士としての実務経験を積んでから国家試験を受験するルートです。最初から管理栄養士を目指すなら、①のルートのほうが国家試験の合格率も高く、近道です。

Q1 養成施設ではどんなことを学ぶの？

管理栄養士養成施設はすべて４年制。人体のしくみ、社会・環境と健康の関係、食品の成分や人体への影響のほか、栄養に関するより専門的な内容も学びます。栄養の専門科目の授業を理解するには、生物や化学の基礎知識が必要です。

食品の成分測定や検査、菌を育てるなどの実験も、たくさん行います。調理実習もありますが、家庭科の調理実習とはちがい、給食用の大量調理、病気の治療食の献立づくりなど、専門的な内容です。

３〜４年生になると、病院や介護施設など管理栄養士が活躍する場所で臨地実習も行われます。

Q2 向いているのはどんな人？

管理栄養士の仕事は、すべて食にかかわることです。食を通して人びとが健康的な生活を送れるようサポートするのが管理栄養士。食べることが好きで、健康に興味があることが、いちばん大切です。

意外かもしれませんが、栄養学は理系の世界です。細かな計算も必要となるため、理論的に考え、コツコツと組み立てる作業が得意な人のほうが適しているといえます。また、現場では、コミュニケーション力も求められます。栄養指導で患者さんと接する機会が多く、厨房では調理師と、病院では医師、看護師などの医療職との連携が不可欠な仕事です。

Q3 収入はどのくらい？人数は足りているの？

栄養士の平均年収は約330万円なので、管理栄養士の年収はこれよりもやや高い400万円くらいが平均的だと考えられます。収入額は職場によって大きく異なります。

医療職に共通していえることですが、管理栄養士もまた、景気に関係なく求められる職業です。医療費の増加が問題となっている昨今、栄養指導による生活習慣の改善や病気の予防は、今後ますます重要になるでしょう。高齢化にともない、病院だけでなく、老人福祉施設などで栄養ケアを行う人材としてのニーズも増えていくと考えられます。

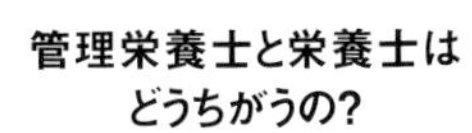

管理栄養士と栄養士はどうちがうの？

どちらも栄養の専門家ですが、管理栄養士のほうがより高度な知識と技術をもっているため、栄養士よりも専門的な仕事にたずさわることができます。

医師の指導を受けて行う病気の治療のため必要な栄養指導、病気を予防し健康を保つための栄養指導、病院や福祉施設などでの高度な給食管理といった仕事は、管理栄養士でなければできません。在宅医療において、自宅で療養中の患者さんの栄養指導を行うのも、管理栄養士です。

歯科医師になるには？

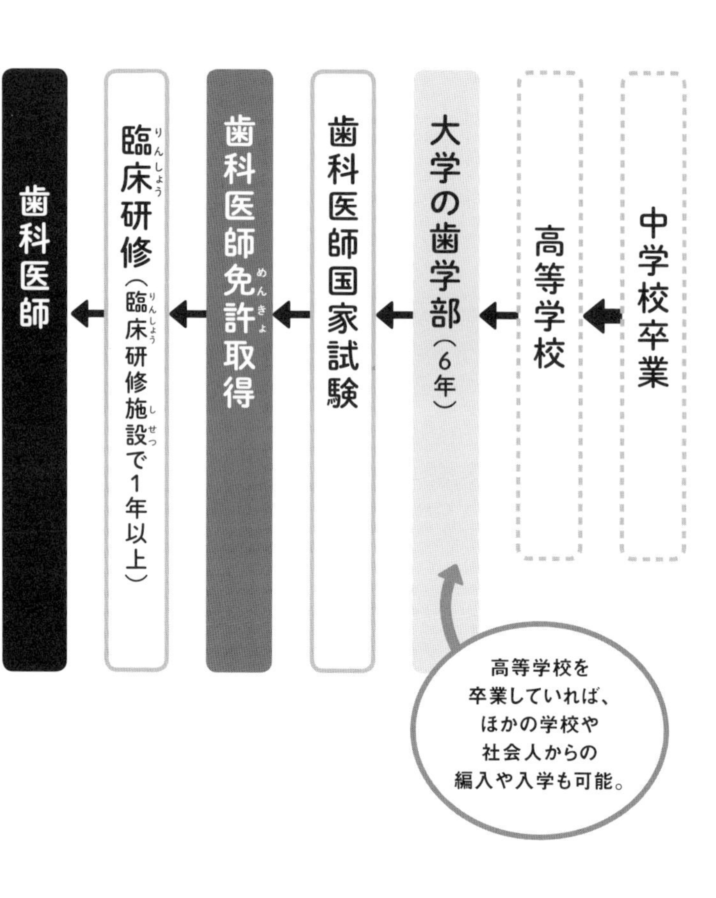

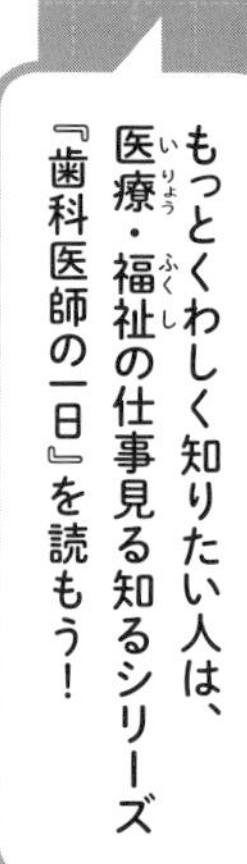

大学の歯学部で6年間学び、歯科医師国家試験を受験

歯科医師になるには、大学の歯学部に進学し、6年間で歯科医師として必要な知識や技術を身につける必要があります。他学部や社会人から歯学部に編入、入学することも可能で、年齢を重ねてから歯科医師を志す人にも道が開かれています。学費は6年間で、国立大学が約350万円、私立大学は約2000万〜5000万円。他学部に比べると高額といえるでしょう。

歯学部で必要な科目を修めたあと、歯科医師国家試験に合格すれば、歯科医師免許取得です。免許取得後は、病院や歯科医院で働きながら研修する「臨床研修」を1年以上行うことが義務づけられています。

歯学部では どんなことを学ぶの？

歯学部は、医学部や薬学部と同様に6年制。6年間で歯科医師にふさわしい基本的な資質と能力を身につけます。

歯科医師は歯科が専門ですが、歯科の専門的な知識や技術とともに、人体の仕組みや薬の働きといった医療の基礎も幅広く学びます。教室での講義に加えて実習が多いことが特徴で、医学部と同様に、解剖実習も行います。

歯科治療に必要な技術を身につけるため、つめものや入れ歯を成型する授業、むし歯治療のトレーニングを行う授業など、専門的な授業が用意されています。卒業前には現場での臨床実習も必須です。

歯科医師に向いているのはどんな人？

歯は一度けずってしまうと再生できないものです。しかも、せまい口の中を傷つけないように、気を配りながら歯の治療を行わなければなりません。そのため、歯科医師には高い集中力が求められます。ある程度手先が器用である人のほうが向いている仕事といえますが、これは訓練で上達していくのでそれほど心配はいりません。

歯科医療の世界はたえず進歩しているので、常に患者さんに最適な治療を提供ために、新たな知識や技術を学び続ける努力も欠かせません。患者さんやいっしょに働くスタッフと信頼関係を築けるコミュニケーション力も不可欠です。

収入はどのくらい？ 人数は足りているの？

歯科医師の平均年収は1200万円前後と、医師に並んでかなり高収入です。収入額は勤務先や経験年数によって大きく異なり、特に自ら歯科医院（歯科診療所）を開業している歯科医師のなかには、平均よりも高い収入を得ている人もいます。ただ、歯科医院は全国に7万軒近くあり、特に集中している都市部では競争が激しくなっています。開業した場合は、経営者としての努力も必要です。

人間が生きていくうえで非常に大切な歯という部分について、専門的な知識と技術をもつ歯科医師は、在宅医療の分野でもニーズの高い職業です。

歯科医師と医師は別の資格。
医師に歯科診療はできません！

歯科医師と医師は、それぞれ別の国家資格です。医師には歯科診療をすることはできません。歯科に特化した専門的な知識や特殊な技術を勉強し、歯科医師免許を得た人だけが、歯科診療を行うことができるのです。

当然、免許がちがうため、歯科医師は歯科以外の診療を行うことはできません。しかし、歯の病気は全身に影響をおよぼすこともありますから、歯科医師には、歯のみならず全身についての基本的な知識も必要です。

歯科衛生士になるには？

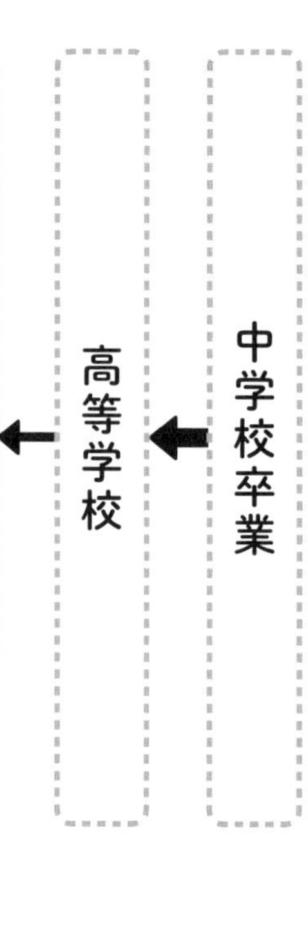

中学校卒業
↓
高等学校
↓
歯科衛生士養成校
大学（4年）　短期大学（3年）
専門学校（3年）
↓
歯科衛生士国家試験
↓
歯科衛生士資格取得

もっとくわしく知りたい人は、医療・福祉の仕事見る知るシリーズ『歯科衛生士の一日』を読もう！

養成校で3年以上学び、歯科衛生士国家試験を受験

歯科衛生士になるには、歯科衛生士養成校で3年以上学び、必要な科目を修めて卒業したあと、歯科衛生士国家試験に合格する必要があります。

歯科衛生士養成校には、4年制大学、3年制の短期大学、3年制の専門学校があります。どの学校も、高等学校を卒業しているか、それと同等以上の学力がある人が入学できます。もちろん、ほかの学校を卒業したあとや、社会人になってからでも養成校に入学することは可能です。現在は性別を問いませんが、かつては歯科衛生士は女子と法律で定められていたため、入学者を女子に限定している養成校もあります。

Q1 養成校ではどんなことを学ぶの？

歯科衛生士養成校で圧倒的に多いのは専門学校で、短期大学や４年制大学は少数です。カリキュラムは学校ごとに特徴がありますが、どの学校でも、歯科衛生士になるために必要な科目をすべて学ぶことができます。

人体と歯・口腔のしくみや病気、治療法のほか、栄養や薬の働き、医療制度などさまざまなことを学びます。基本的な歯科衛生技術を身につけるための実習もたくさんあり、専門の器具や模型を使ってトレーニングする時間が十分に確保されています。学年が進むと、現場での臨床・臨地実習も行います。

Q2 歯科衛生士に向いているのはどんな人？

歯科衛生士の仕事では、赤ちゃんから高齢者まで、あらゆる年代の人と接するので、人とかかわるのが好きでないと務まりません。ただ気持ちよく接するだけでなく、患者さんが何に困っているのかを察する想像力も必要です。具体的なケアの方法を提案し、患者さんや歯科医師に伝えるためには、表現力もだいじです。

せまい口の中をケアする仕事で、衛生面にも注意を払う必要があるので、細かい作業が苦にならず、注意力のある人が向いているでしょう。日々進歩する歯科医療について学び続ける意欲があることも大切です。

Q3 収入はどのくらい？人数は足りているの？

歯科衛生士の平均年収は約380万円前後。日本人の平均年収420万円をやや下回りますが、女性の平均年収280万円と比べれば、高めの水準です。

収入額は勤務先や経験年数によって大きく異なります。歯科衛生士の最も代表的な勤務先である歯科医院（歯科診療所）は、歯科医師などが個人で開設しているものが多いため、労働環境や待遇のちがいも大きくなっています。

求人は多く、資格を取得すれば就職に困ることはまずないでしょう。ライフスタイルに合わせてさまざまな働き方ができるのも、歯科衛生士のよいところです。

職場体験で歯科衛生士をもっと知ろう！

歯科医院での職場体験では、話を聞くだけでなく、受付、器具の洗浄といった実際の業務の手伝いや、模型の歯の型どり体験などができることも。地域の歯科医院に、職場体験を受け入れているか問い合わせてみましょう。

職場体験以外にも、6月の「歯と口の健康週間」や、11月の「いい歯の日」に合わせて各地で歯科の健康イベントが開催されます。歯みがき指導や歯科健康相談などで活躍する歯科衛生士と、直接話をするチャンスです。

ケアマネジャー（介護支援専門員）になるには？

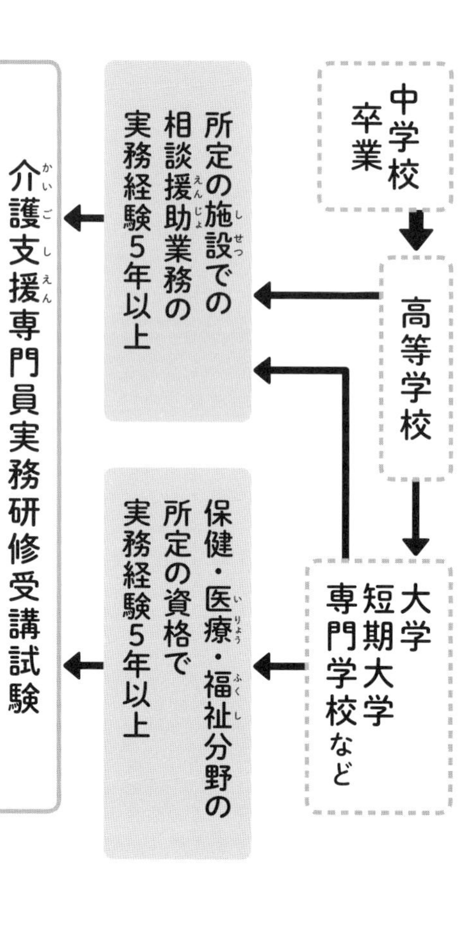

5年以上の実務経験が必須。試験に合格後、実務研修を受講

ケアマネジャーは、正式には「介護支援専門員」という名称の資格です。国家資格ではありませんが、介護保険法に定められた専門職で、都道府県が管理する公的な資格です。

ケアマネジャーになるには、保健・医療・福祉分野の資格（67ページ）を取得し、その資格での実務を5年以上経験するか、定められた施設での相談援助業務を5年以上経験したのち、全国の各都道府県が実施する「介護支援専門員実務研修受講試験」に合格し、「介護支援専門員実務研修」を受講、修了しなければなりません。また、5年ごとに必要な研修を受け、資格を更新することが義務づけられています。

Q1 研修ではどんなことを勉強するの？

介護支援専門員実務研修受講試験に合格したあとに受ける介護支援専門員実務研修は、ケアマネジャーとして必要な知識や技術を身につけ、現場で即戦力として働けるよう、より実践に近い形で行われます。

例えば、ケアマネジャーのメインの仕事ともいえるケアプラン（介護サービスなどについての計画書）の作成があります。個々の事例に合わせて最適なサービスを提供できるよう、具体的にケアプランを作成します。現役ケアマネジャーを講師にむかえ、具体的な事例を検討し合う研修などもあります。

Q2 ケアマネジャーに向いているのはどんな人？

ケアマネジャーは、人を相手に成り立つ仕事です。利用者さんやその家族の相談に乗ることはもちろん、介護スタッフや医療に関する専門職、行政の窓口など、多くの人とかかわり、調整役を務めます。その上で欠かせないのは、何といってもコミュニケーション力。わかりやすい言葉で必要なことを伝え、スムーズに情報を共有することが求められます。

さらにはしっかりと相手の話に耳をかたむけ、的確に判断し、相手の気持ちや立場を察する能力、そして複数の業務を同時に進めて仕事をこなしていく能力も不可欠な要素です。

Q3 収入はどのくらい？人数は足りているの？

2017年度の調査によると、ケアマネジャーの平均年収は約380万円。日本人の平均年収420万円をやや下回る程度です。収入は勤務先や働き方によっても異なります。独立して自ら事業所を立ち上げれば、責任も大きくなりますが、収入アップの可能性もあるでしょう。

これまでに介護支援専門員実務研修受講試験に合格した人の数は合計69万5000人にのぼりますが、その全員がケアマネジャーとして働いているわけではありません。ますます高齢化が進む昨今、ケアマネジャーの重要性は高まる一方。大いに求められる資格です。

ケアマネジャーになれる保健・医療・福祉の資格って？

介護支援専門員実務研修受講試験を受けるための実務経験として認められる資格には、医師、歯科医師、薬剤師、保健師、助産師、看護師、理学療法士、作業療法士、社会福祉士、介護福祉士、視能訓練士、義肢装具士、歯科衛生士、言語聴覚士、柔道整復師、栄養士（管理栄養士をふくむ）、精神保健福祉士などがあります。その職種として、研究などではなく、対人の直接的な援助を行っている期間が5年以上必要です。

どうして在宅医療が必要なの？

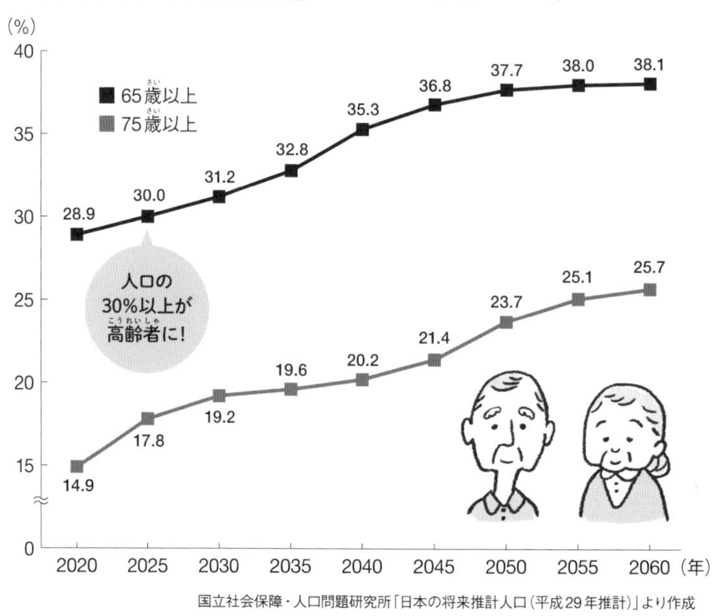

国立社会保障・人口問題研究所「日本の将来推計人口（平成29年推計）」より作成

高齢者には在宅医療を必要とする人が多く、社会の高齢化が進むと、在宅医療のニーズはますます増加！

入院や通院をせずに、安心して継続的に医療を受けられます

在宅医療は、症状は安定しているものの、通院が難しい状態の高齢者や障がい者が、自宅や施設で過ごしながら医療を受けることで、その人らしい日常生活を続けられるようにするためのしくみといえます。

年齢を重ねると体に不具合が出やすくなるものですが、それは病気であると同時に、加齢によるおとろえでもあります。そのため、完全に治すことは難しく、治療が長引いてしまいやすいのが特徴です。そのような場合も、在宅医療を利用すれば、入院したり無理して通院したりせずに、継続的に医療を受けることができます。ますます高齢化が進む日本に、在宅医療は必要不可欠なのです。

高齢者が最期をむかえたい場所

内閣府「平成24年度 高齢者の健康に関する意識調査結果」より作成

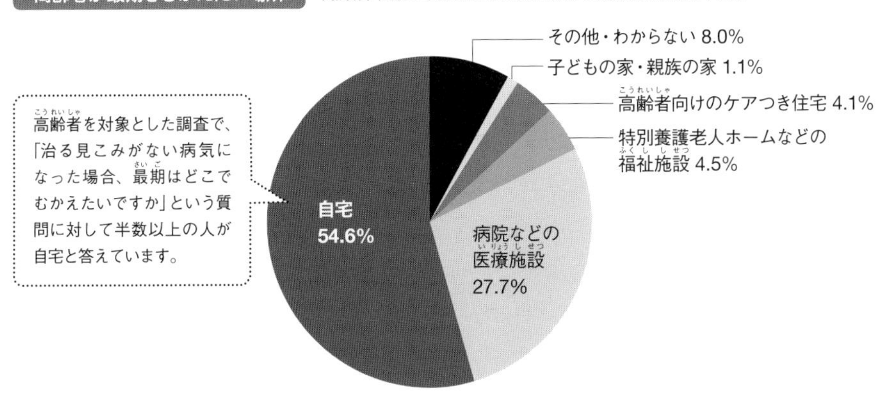

国民医療費の変化

厚生労働省「平成27年度 国民医療費の概況」より作成

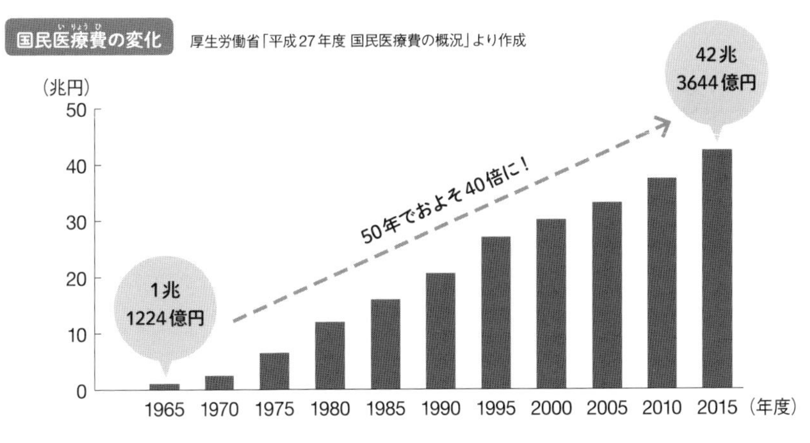

患者さんの希望をかなえ、さらには医療費の削減にも

高齢者に限らず、長期的な治療が必要な人は多くいますが、病院はあくまでも病気を治すところで、暮らす場所として適しているとはいえません。在宅医療は、住み慣れた自宅で治療を受けたい、人生の最期のときを家族に囲まれて過ごしたいという患者さんの希望をかなえることができます。在宅医療という選択肢があることで、どこで療養するか、さらにはどこで最期をむかえるかを患者さん自身が選べるのです。

２０１０年に超高齢社会に突入し、今後も高齢化が進むと予測される日本。これまでも増加し続けている医療費は、２０２５年には50兆円を超えるといわれています。そんななか、入院による治療と在宅医療とを比較すると、医療費が3分の1程度まで下げられるとの調査報告もあり、在宅医療は、医療費の削減にも一役買うと期待されています。

在宅医療で働く人や施設の数はどのくらい？

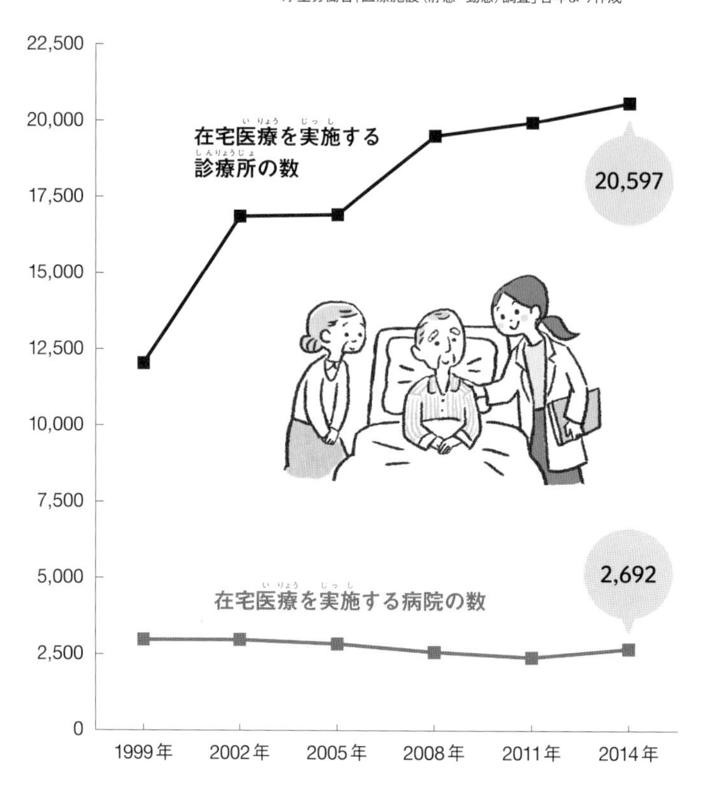

24時間体制で在宅医療に対応する医療機関は全国に約1万6000

在宅医療を実施するのは医療機関（病院や診療所）です。自宅や施設で暮らす患者さんに医療サービスを提供するには、医師免許以外の特別な資格は必要なく、どんな医療機関でも在宅医療を実施することはできますが、24時間体制で在宅医療に対応するなどの条件を満たし、届け出ている医療機関を特に「在宅療養支援診療所」「在宅療養支援病院」といいます。在宅療養支援診療所は全国に1万5000弱、在宅療養支援病院はおよそ1000あります。

在宅療養支援診療所・病院以外もふくめると、在宅医療を実施する医療機関の数は2014年時点で2万3000程度です。

在宅医療にたずさわる施設や人の数

- 訪問薬剤管理指導を実施している薬局
  - ・医療保険：5,157か所（2016年5月）
  - ・介護保険：16,204か所（2016年5月）

- 訪問看護ステーション：10,418か所（2018年4月1日時点）

訪問看護ステーションで働く各職種（2016年10月）

・看護師：36,842人
・理学療法士：7,916人
・作業療法士：3,468人

- 歯科訪問診療を実施している医療機関：12,693（2015年5月）
- 在宅療養支援歯科診療所：6,443（2015年）

ケアマネジャーが利用者さんの療養生活に関する相談援助を行う「居宅介護支援事業所」は、全国に40,686か所。そこで働くケアマネジャーの数は87,975人です。

在宅医療の仕事にたずさわる各職種も少しずつ増えています

訪問看護や訪問リハビリを提供する訪問看護ステーションは、順調にその数を増やしており、2018年4月時点では、1万か所を超えています。訪問看護ステーションで働く各職種の人数は、看護師が約3万7000人、理学療法士は約7900人、作業療法士は約3500人。すべての職種が年々増加しています。

そのほか、訪問薬剤管理指導を行う薬局の数も増えてきており、2万近くにのぼると見られます。訪問歯科診療を行う歯科医院などの医療機関も増えてきてはいますが、まだ歯科医院全体の20％程度。一定の条件を満たし、届け出ている「在宅療養支援歯科診療所」は、全国に6500弱です。

まだまだ足りない状況ではありますが、在宅医療へのニーズに応える形で、施設もたずさわる人も少しずつ増えつつあります。

在宅医療で今、問題になっていることは？

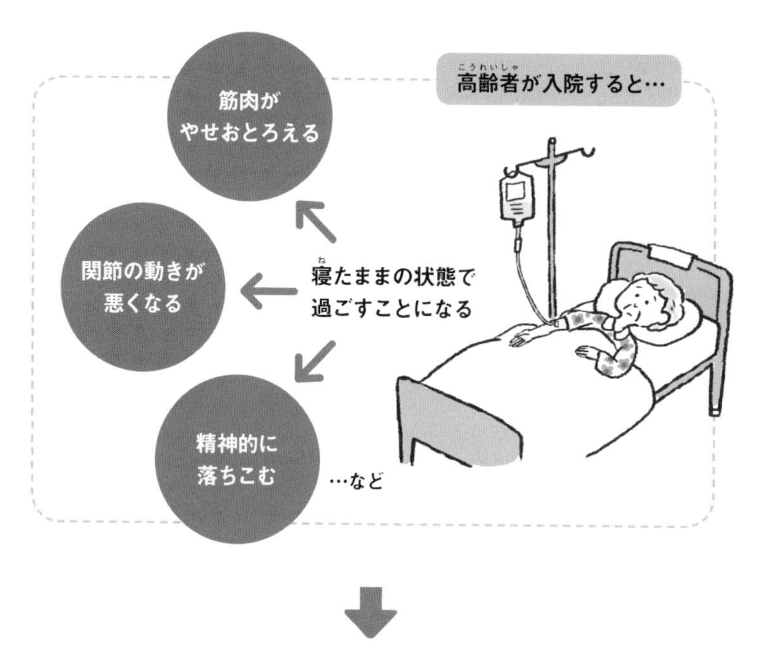

在宅医療を利用して、
自宅などで日常生活を送りながら療養したほうが
健康状態を保てることが多い！

在宅医療の利点を広く知ってもらうことがだいじ

高齢者が増加するにつれ、在宅医療の必要性は高まっていますが、まだまだ国民に広く根づいているとはいえないのが現状です。「家で療養するよりも、病院に入院しているほうが安心」という考えが根強く、在宅医療の利点が理解されていないのです。

最近では、高齢者は入院すると心身の状態がむしろ悪化しやすいことがわかってきました。入院中、寝たままの状態で長い時間を過ごすことで、心身の機能がおとろえてしまうためです。入院するよりも、自宅などで日常生活を送りながら療養したほうが、健康状態を悪化させずにすむのですが、このことはまだ十分理解されていません。

在宅医療を実施する医療機関の割合 (2014 年時点)

厚生労働省「平成26年医療施設（静態・動態）調査」「在宅医療にかかる地域別データ集」より作成

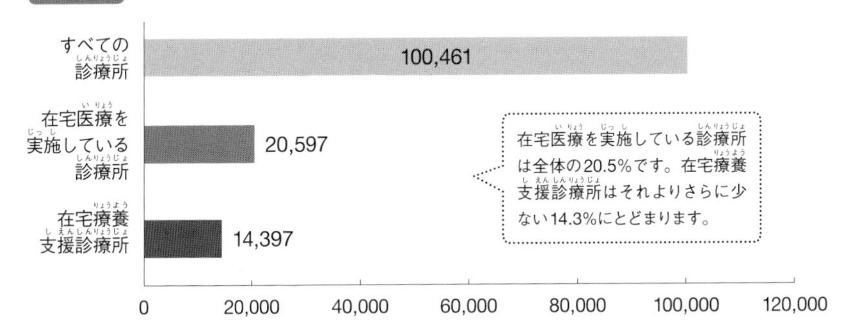

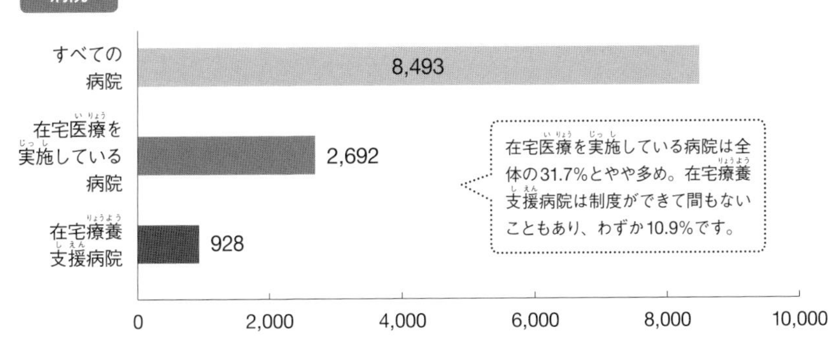

人材不足の解消と、制度や体制の整備が急務

在宅医療のにない手が不十分であることも、大きな問題です。在宅医療の中心的な役割をになう「在宅療養支援診療所・病院」の数は、増加しつつあるとはいえ、全医療機関の15%にも満たないのが現状です。だれもが望めば適切な在宅医療を受けられる環境を整えるためには、地域の特長をいかしてとり組む必要があります。

訪問看護ステーションは、すべての都道府県で増加傾向にありますが、より細かい単位で見ると、訪問看護ステーションも訪問看護を実施している医療機関もない市町村がいまだにあり、万全とはいえません。高齢者が急激に増えるとされている2025年には15万人ほど必要となる訪問看護師は、2016年末時点で約4万人。超高齢社会に対応するため、制度や体制の整備が急がれます。

監修：医療法人社団つくし会 新田クリニック院長 新田國夫

？ これから10年後、どんなふうになる？

予測される年齢区分別の人口割合

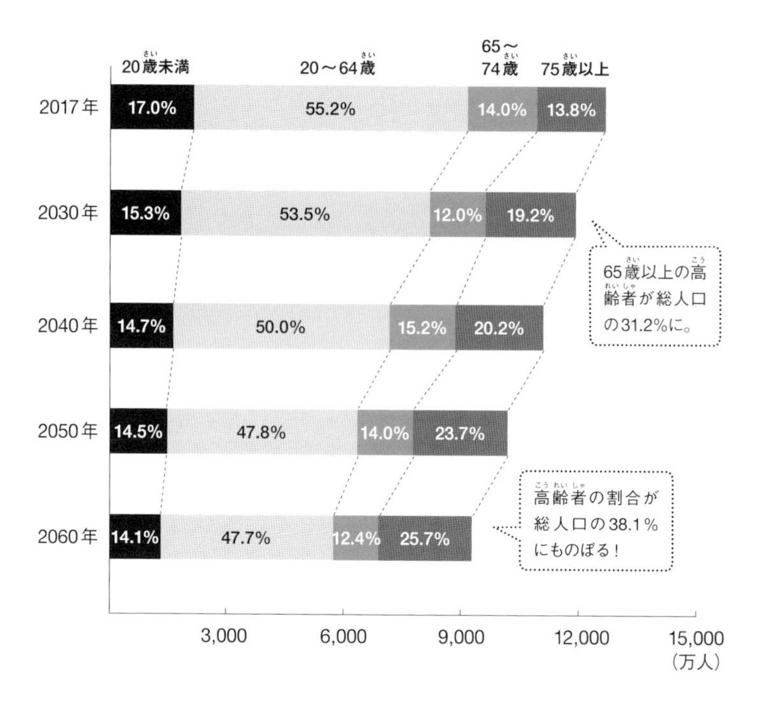

総務省統計局「人口推計（平成29年10月1日現在）」
国立社会保障・人口問題研究所「日本の将来推計人口（平成29年推計）」より作成

人口の約30％が高齢者に。在宅医療のニーズは今後も増加

10年後には、「団塊の世代」と呼ばれる特に人口の多い世代が75歳以上の後期高齢者となります。65歳以上の高齢者の数は、日本の総人口の約30％をしめるようになるといわれています。また、超高齢社会であるばかりでなく、子どもも少ない社会となります。

高齢者の増加にともない、病気の分布も変化してきます。これまでとちがい、肺炎、心臓病、脳卒中が最も多くなると予測されています。１００歳以上の長寿者が今より増えるとの予測もあり、在宅医療を必要とする人はますます多くなるでしょう。だれもが必要なときに在宅医療を受けられるような環境をととのえていくことが求められます。

オンライン診療（遠隔診療）のしくみ

1. 医療端末に接続
2. テレビ電話で患者さんの病状を通知
3. 問診、診断
4. ハンディカメラなどで患部の診断
5. 投薬や治療の指示

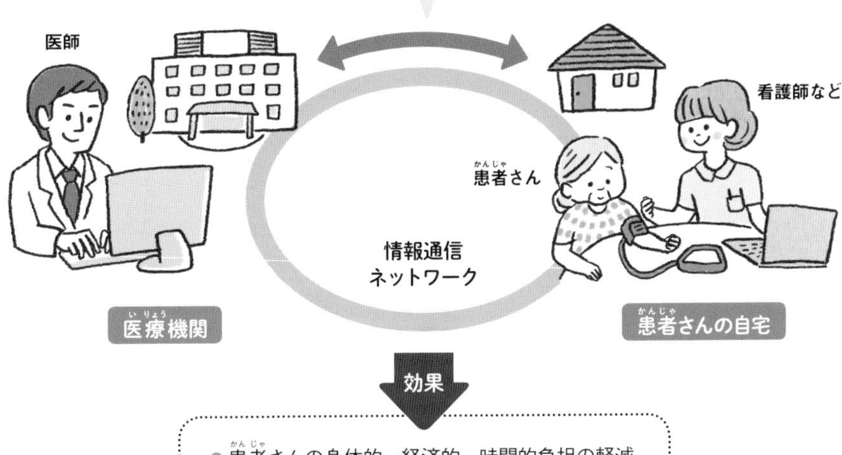

- 患者さんの身体的、経済的、時間的負担の軽減
- 患者さんの受診機会の増加
- 医師の身体的、時間的負担の軽減

技術の進歩による恩恵と、在宅医療の認知度アップ

高齢者の医療では、病気の治療はもちろんですが、それ以上に生活を維持することが重要視されます。したがって、看護と介護のスタッフの連携は、今後ますます進んでいくでしょう。

将来的には、技術の進歩によって、「オンライン診療（遠隔診療）」が発展し、人口の減った地域では医師が直接訪問しなくても診察が可能になることが期待されます。人手不足が深刻な在宅医療の現場においても、大きな助けとなるでしょう。オンライン診療の対象は、子どもや中高年にも広まると予測されます。

今後、在宅医療が広く知られるようになれば、それを希望する人、利用する人が増えていきます。過去のさまざまな事例を参考に、対応できるケースも増え、医療の一分野としての認知度も高まっていくはずです。

監修：医療法人社団つくし会 新田クリニック院長 新田國夫

索引

か

●取材協力（掲載順・敬称略）

医療法人社団悠翔会

医療法人社団双泉会 かのん訪問看護ステーション

有限会社タカ・コーポレーション 十二所薬局

株式会社シンクハピネス LIC訪問看護リハビリステーション

医療法人豊生会 むらた日帰り外科手術・WOCクリニック 訪問栄養サポートセンター仙台

合同会社鐵社会福祉事務所 居宅介護支援事業所 てつ福祉相談室

医療法人社団つくし会 新田クリニック

編著／WILL（ウィル）こども知育研究所（ちいくけんきゅうじょ）

幼児・児童向けの知育教材・書籍の企画・開発・編集を行う。2002年よりアフガニスタン難民の教育支援活動に参加、2011年3月11日の東日本大震災後は、被災保育所の支援活動を継続的に行っている。主な編著に『レインボーことば絵じてん』、『絵で見てわかる はじめての古典』全10巻、『せんそうって なんだったの？ 第2期』全12巻、『語りつぎお話絵本 3月11日』全8巻（いずれも学研）、『見たい 聞きたい 恥ずかしくない！ 性の本』全5巻、『ビジュアル食べもの大図鑑』、『やさしく わかる びょうきの えほん』全5巻、『ことばって、おもしろいな「ものの名まえ」絵じてん』全5巻（いずれも金の星社）など。

医療（いりょう）・福祉（ふくし）の仕事（しごと） 見（み）る知（し）るシリーズ
「在宅医療（ざいたくいりょう）」で働（はたら）く人の一日（いちにち）

2018年10月10日発行　第1版第1刷©

編　著　WILL（ウィル）こども知育研究所（ちいくけんきゅうじょ）
発行者　長谷川 素美
発行所　株式会社保育社
〒532-0003
大阪市淀川区宮原3－4－30
ニッセイ新大阪ビル16F
TEL 06-6398-5151
FAX 06-6398-5157
https://www.hoikusha.co.jp/
企画制作　株式会社メディカ出版
TEL 06-6398-5048（編集）
https://www.medica.co.jp/
編集担当　中島亜衣
編集協力　株式会社ウィル
執筆協力　坂本京子／清水理絵
装　幀　大藪胤美（フレーズ）
写　真　渡邊春信
本文イラスト　あらいのりこ
印刷・製本　図書印刷株式会社

ISBN978-4-586-08596-5　Printed and bound in Japan
乱丁・落丁がありましたら、お取り替えいたします。

〇〇病院
歯科医師
公認心理師
視能訓練士
医師
看護師
歯科衛生士
作業療法士
言語聴覚士
臨床検査技師
薬剤師
理学療法士
言語聴覚士
〇〇薬局
くすり
〇〇小学校
薬剤師
管理栄養士
義肢装具製作所
義肢装具士